D0715720

# COLLECTION FICTIONS

*La déchirure* de Claude Vaillancourt
est le soixante-sixième titre de cette collection.

## DU MÊME AUTEUR

*Conservatoire,* Montréal, l'Hexagone, coll. Fictions, 1990.

CLAUDE VAILLANCOURT

# La déchirure

*roman*

l'HEXAGONE

Éditions de l'HEXAGONE
Une division du groupe
Ville-Marie Littérature
1000, rue Amherst, bureau 102
Montréal (Québec)
H2L 3K5
Tél: (514) 523-1182
Télécopieur: (514) 282-7530


Maquette de la couverture: Éric L'Archevêque


En couverture: François Vincent, *Robert,*
Techniques mixtes sur papier marouflé sur panneau, 1991.
Collection Michel Tétreault Art international.


Distribution:
LES MESSAGERIES ADP
955, rue Amherst
Montréal (Québec)
H2L 3K4
Tél.: à Montréal: (514) 523-1182
interurbain sans frais: 1 800 361-4806


Données de catalogage avant publication (Canada)
Vaillancourt, Claude, 1957-
La déchirure
(Collection Fictions)
ISBN 2-89006-422-0
I. Titre.
PS8593.A525D42 1991 C843.54 C91-090822-2
PS9593.A525D42 1991
PQ3919. 2.V34D42 1991


Dépôt légal: 4ᵉ trimestre 1992
Bibliothèque nationale du Québec
Bibliothèque nationale du Canada

Quand je vois un homme épris de l'amour des connaissances se laisser séduire à leur charme et courir de l'une à l'autre sans savoir s'arrêter, je crois voir un enfant sur le rivage amassant des coquilles, et commençant par s'en charger, puis, tenté par celles qu'il voit encore, en rejeter, en reprendre, jusqu'à ce qu'accablé de leur multitude et ne sachant plus que choisir, il finisse par tout jeter et retourne à vide.

JEAN-JACQUES ROUSSEAU,
*Émile*

# PREMIÈRE PARTIE

# L'éducation

# Chapitre premier

## Le livre-jouet

À son deuxième anniversaire, on lui donna un livre.

Un vrai livre, sans images, un quelconque volumineux roman.

L'enfant prit l'objet entre ses mains, le secoua, le sentit, le mordit, le secoua encore. Une douzaine de regards amusés étaient braqués sur lui. Il ne les voyait pas.

Le gamin découvrit que le bloc qu'il avait en main était de nature plutôt étrange: il était composé d'une infinité de feuilles de papier, reliées à une extrémité seulement; sur chacune de ces feuilles, on trouvait une infinité de signes minuscules, semblables à des fourmis mortes. L'enfant mania, tritura son nouveau jouet, en déchira gauchement quelques pages qui tombèrent en virevoltant, puis glissèrent sur le plancher. Voyant que l'objet avait somme toute peu d'intérêt, le gamin s'en débarrassa en le projetant de toutes ses forces contre le mur. Le bouquin alla choir sur le plancher, ventre ouvert, agonisant.

Alors le père souleva l'enfant, le fit sauter dans ses bras et lui donna une grosse bise sur le front. Il riait à gorge déployée, d'un rire énorme et triomphant, qui couvrait les éclats de voix des invités, qui faisait écho au saxophone brûlant qui hurlait dans les haut-parleurs. Il riait, rugissait comme un ogre heureux, pendant que l'enfant, qui ne comprenait pas la raison de ce débordement, tentait timidement de sourire.

Juché au bout des bras de son père, brandi comme un étendard, il sentait ses oreilles qui s'écorchaient de ce rire et respirait l'haleine aux relents d'alcool qui s'échappait de la bouche de son père. Étourdi, étonné, l'enfant avait été saisi par cet enthousiasme inexplicable; il se sentait à la fois heureux et craintif, effrayé par une telle explosion, satisfait de donner tant de joie.

Les invités s'affairèrent autour de l'enfant. On lui quémandait quelque sourire mignon, quelque petite phrase coquette, quelque regard rempli de surprise joyeuse et d'innocence. Mais par un mystérieux transfert, favorisé par le silence et l'extraordinaire impassibilité de l'enfant, chacune des grandes personnes se transforma en ce que l'enfant aurait dû être. On devenait littéralement enfant, on souriait niaisement, on zozotait, on gazouillait, croyant que, par mimétisme, l'enfant jouerait enfin son rôle et prodiguerait cette bonne dose d'attendrissement dont tous avaient visiblement besoin. Peine perdue: aucune émotion ne se lisait sur le visage de l'enfant, on ne voyait que ses yeux trop grands, aussi grands que son visage, ces yeux interrogateurs qui avaient l'air de ne rien comprendre, qui fusillaient, impitoyablement, et renvoyaient aux grandes personnes l'image de leur ridicule, par un reflet subtil, à peine perceptible.

À cette soirée, organisée en l'honneur du deuxième anniversaire de son fils, le père, Lucien, n'avait invité que des adultes. Ou presque. S'y trouvaient trois collègues de travail, deux amis de longue date, son ancienne maîtresse, Andrée, avec laquelle il avait rompu depuis longtemps, et qui était venue en compagnie de son nouvel amant. On pouvait aussi y voir Louise, la sœur de Lucien, avec son mari, ainsi que leur fils, Alexandre, seul autre enfant présent à la fête, qui n'était que de trois jours le cadet de son cousin, et dont on célébrait aussi l'anniversaire. Il y avait encore Lucille, la meilleure amie de Louise, une voisine de Lucien, avec sa fille déjà grande, et enfin un inconnu charmant, ami d'on ne savait qui. Calme, discrète, se trouvait enfin Mathilde, la nouvelle maîtresse en titre de Lucien, depuis deux semaines seulement.

Puisque l'enfant au livre n'intéressait pas, on se rabattit sur son cousin Alexandre. Alexandre donnait l'impression d'être une version revue et corrigée de son aîné: charmant bambin sorti tout droit d'un rêve, ainsi qu'on en voyait alors sur les calendriers, blond, bouclé, yeux bleus, bavard, possédant un vocabulaire suffisamment étendu pour épater cette galerie à la recherche d'exploits d'enfants, il affichait une intelligence supérieure, particulièrement précoce, et surpassait son cousin autant que les éclats du soleil chatoient sur un marécage sans fond. L'aîné, quant à lui, avait l'air triste et renfrogné, le geste gauche et un physique fort particulier, qui attirait l'attention sur le crâne et les yeux. Le crâne était énorme, disproportionné, couvert d'une chevelure déjà sombre; il paraissait si lourd que la tête penchait sans cesse d'un côté ou de l'autre, fléchissant sous le poids. Des yeux se dégageait un silence troublant. Ils formaient un abîme gris où semblait disparaître l'enfant tout entier.

Lucien resta seul avec son enfant. Il jubilait intérieurement. Il regardait les invités, il comparait ses deux maîtresses, l'ancienne et la nouvelle, se disait que les premiers moments de l'amour sont les meilleurs, vibrait à la musique tonitruante qui accompagnait la soirée et qui exaltait sa joie. Il croyait avoir créé de toutes pièces, avec une aisance déconcertante, ce bonheur tout simple qu'il vivait à l'instant avec tellement d'intensité.

Quelques-uns des invités revinrent alors vers lui et demandèrent pourquoi il avait donné à son fils, en guise de cadeau d'anniversaire, ce gros livre inutile dont l'enfant s'était si judicieusement débarrassé. Lucien répondit qu'il ne savait pas, que tout cadeau était inutile à cet âge puisque l'enfant n'en garderait aucun souvenir. Il ajouta, après avoir joyeusement ingurgité une rasade d'une liqueur vulgaire qu'il distribuait sans parcimonie, que le deuxième anniversaire des enfants ici présents était le plus important de leur vie et que, en raison d'un anniversaire aussi marquant, le seul cadeau valable ne pouvait être que symbolique. Il disait qu'il voyait le deuxième anniversaire comme la journée, elle aussi symbolique, où l'enfant quitte son état larvaire pour subir la grande métamorphose, la transformation radicale par l'apparition du langage, donc de l'intelligence, qui — affirmait jovialement Lucien — ferait du ver de terre pitoyable qu'était son enfant, un merveilleux papillon. Cette soirée était donc pour lui la grande fête de l'Intelligence, celle de la Véritable Naissance, et il invita tout le monde à lever son verre en l'honneur de cet heureux événement — ce qu'on fit immédiatement, en riant, en s'esclaffant. Les verres se vidèrent et se remplirent à nouveau, au son des éclats de voix et des niaiseries que débitaient les invités, au son de la voix rauque et étourdie d'alcool de Lucien, qui parlait le plus fort de tous. À la fête de l'Intelligence, gueulait-il, il avait imaginé associer comme cadeau le produit le plus noble de la pensée, à savoir un livre, un vieux livre qui défiait le temps, mais aussi la pensée elle-même, parce qu'elle est dans le livre fixée pour l'éternité, continuait Lucien, alors qu'elle ne peut être en fait qu'infiniment volage, toujours en mouvement. On applaudit bien fort. Mathilde s'approcha de Lucien et l'embrassa sur les lèvres.

## Lucien au collège

Puis, pendant qu'un collègue de Lucien renchérissait sur le sujet, l'enfant sentit — dans l'extrême limite où un enfant si jeune peut sentir ce genre de choses — que son père s'éloignait, en pensée, de tous ces gens qui s'agitaient avec si peu de discrétion. Lucien, en effet, se revit tout à coup dans la peau de ses quinze ans. Il se revoyait un livre à la main, le premier *vrai* livre de sa vie, un petit livre de rien du tout, qu'il dévorait depuis plus de deux heures, coincé dans les toilettes, alors que son âme devenait l'âme d'un amoureux passionné, que l'histoire le transportait bien loin, hors de ce collège sinistre où il étudiait, aux murs noirs comme la soutane des curés, le transportait hors de cette toilette exiguë, puante, inconfortable, étouffante. Il se laissait envoûter par une passion amoureuse, viscérale, physique, animale, qu'il ne croyait pas être en mesure de connaître. Il la vivait avec tellement de spontanéité que, sans aucun doute, devait exister en lui une formidable prédisposition amoureuse, endormie, paralysée par le monde austère qui l'entourait.

Lucien vivait depuis quatre ans, quatre interminables années, comme pensionnaire dans ce collège qui avait arrêté le temps, qu'on avait érigé en bastion protecteur d'un passé révolu, parce que partout autour, ailleurs, le temps allait trop vite. Il sentait déjà, malgré ses quinze ans, qu'il était trop tard pour reprendre le temps perdu, puisqu'il avait la conviction que la vie doit se préparer dès l'enfance, ou plutôt se prendre à tout moment, et ce qu'il considérait comme son immobilité inévitable dans ce collège détesté lui donnait l'impression qu'il perdait à jamais d'irremplaçables parcelles d'existence.

Il faisait pourtant partie de ces gens qui savent tirer avantage des pires situations. Dès son arrivée au collège, il s'était fait remarquer par sa grande taille et ses dons sportifs, ce qui suffisait pour placer une partie de ses confrères sous son joug. Il avait en plus une flamme dans le regard qui lui donnait l'air de ces héros de cour d'école dans les mauvais films ou les mauvais romans, ce qui lui permit d'exercer sur ses camarades un irrésistible ascendant. S'il utilisa d'abord son influence pour de bonnes causes, il changea rapidement d'attitude, la cause du bien étant trop souvent dénuée d'intérêt, surtout lorsqu'elle est le lot d'une caste — les prêtres du collège — qui l'imposait de la même manière qu'on impose le mal. Il commença ainsi à faire quelques petits coups bien inoffensifs et y prit un plaisir immense. Le plaisir s'accentua lorsqu'il décida d'organiser son indiscipline: il prit pour modèle Ivan le Terrible et résolut de former avec ses plus fidèles disciples une confrérie secrète d'*opritchiniki*, qui lutteraient contre leurs ennemis de toujours, les perfides boyards, en l'occurrence ici la direction de l'école, et rêvaient d'imposer une nouvelle loi.

Lucien se fit sacrer tsar Lucien 1$^{er}$, en pleine nuit, dans la chapelle du collège timidement éclairée par des lampions. Entouré de sa horde, il portait une somptueuse chasuble brodée. Chacun des «moines», revêtu pour l'occasion du froc des enfants de chœur, lui fit un serment de fidélité. Les lampions éclairaient par en dessous le visage sévère pour l'occasion du jeune tsar, accentuaient terriblement certains traits et lui donnaient déjà l'air d'un tyran. Mais l'immensité écrasante de la chapelle dans la nuit, les lourds silences entre chacune des phrases chuchotées, la présence de prêtres morts enterrés dans la crypte en dessous de l'église, eurent plus d'effet sur les *opritchiniki* en herbe que l'air triomphant de leur nouveau roi. La cérémonie dut s'exécuter rapidement et les jeunes retrouvèrent avec bonheur leurs lits moelleux. Le lendemain, au réveil toutefois, après avoir échangé des clins d'œil complices, ils se sentirent plus forts que jamais, remplis d'une force qu'ils avaient puisée dans la nuit et qui leur échappait par le fait même. Les méfaits commis par Lucien et ses moines allèrent de la farce de mauvais goût à des actes d'une véritable cruauté qui firent horreur à Lucien lui-même, mais dont il demeurait le champion, pour préserver son emprise. Ces actes grotesques l'ont marqué d'une honte qui le poursuivra longtemps, d'une honte voilée par cette joie secrète d'avoir été un jour puissant, ne serait-ce qu'à une infime échelle.

Les chargés de discipline ne semblaient toutefois pas le prendre au sérieux. On se contentait de le menacer, de lui infliger des punitions et surtout d'insupportables leçons de morale, ainsi qu'à tout élève turbulent mais inoffensif; à sa haine artificielle, qui se manifestait par des coups, on répondait par un amour tout aussi artificiel, celui du sourire chargé d'indulgence après le châtiment, et toujours on le privait de l'hommage suprême, de ce qui aurait été pour lui la vraie réussite, le renvoi sans rémission, ou ce qu'il nommait le sublime retour à la liberté. Plutôt qu'à Lucien, cet immense honneur faillit être dévolu à un élève inconnu, inhibé, introverti, sorti de l'abîme à cause d'un livre, *L'Essai sur les mœurs*. Son crime était fort simple: il avait lu. L'élève, nommé Gérard, se gavait de lectures dont certaines, comme cet ouvrage de Voltaire, pouvaient donner germe, selon le directeur de l'école, à des pensées erronées, en contradiction avec une croyance qui devait être considérée comme la seule acceptable. On se souvint alors de l'élève Gérard: il était l'élève qui sortait de son silence dans certains cours de littérature ou de religion, qui menait d'interminables discussions avec les professeurs, de longs débats qui n'intéressaient personne, étranges dialogues qui se déroulaient bien au-delà des têtes et de l'entendement des autres élèves et qui avaient le don — on n'aurait su dire pourquoi — d'exaspérer les professeurs.

L'élève Gérard acquit un immense prestige, celui du sorcier, de l'alchimiste, auprès d'une population d'illettrés, et les livres qu'il trimbalait perpétuellement devinrent des objets de convoitise, le moyen le plus accompli d'ébranler l'autorité. Lucien, fasciné, voulut posséder cette parcelle du pouvoir qui lui avait si cruellement échappé. Et c'est ainsi qu'à la surprise de tous il se lia — lui, le tsar Lucien 1er — avec le chétif élève Gérard. Le halo de mystère qu'on se plaisait à voir autour de Gérard était toutefois en contradiction avec la pensée de l'élève, qui cherchait une tout autre lumière, celle apportée par la raison, celle qui vaincrait l'obscurantisme de ce collège aux fenêtres si étroites que le soleil y pénétrait à peine, une lumière éblouissante au point de faire disparaître le vieux Dieu des prêtres de l'école, comme un fantôme s'éclipse aux premiers rayons du jour. Gérard accueillit avec une timide bonté la brute ignorante qu'était Lucien, surpris de voir cet élève tout-puissant soumis devant son savoir, heureux d'avoir un disciple, son apôtre Pierre, un disciple à la voix assez forte pour qu'on l'entende répéter avec assurance ses chancelantes théories d'adolescent philosophe.

Il lui avait glissé ce petit livre, qui avait échappé à la grande fouille de la direction et racontait cette torride histoire d'amour que Lucien dégusta en secret dans sa toilette, avec le résultat que l'on sait. Lucien lui revint fou d'enthousiasme, considérant l'élève Gérard comme son moine Sylvestre à rebours et lui donnant une place de choix parmi ses *opritchiniki*. La contrebande de livres devint une des activités favorites du groupe de Lucien, le livre maudit devenait une carte d'identité, on se montrait ses nouvelles acquisitions avec des sourires complices, on se cachait dans les coins les plus inusités pour en lire quelques pages, avant de se lasser et de passer à un autre. L'élève Gérard était l'instance suprême pour juger de la valeur des acquisitions, et si personne ne comprenait de quelle manière il pouvait juger un livre à vue, sans même le lire, on ne contesta jamais la moindre de ses décisions. Lucien dirigeait les opérations avec habileté et passion, à tel point que la direction, qui ne soupçonnait pas ces tractations clandestines, se réjouissait du calme apparent des élèves.

Cette rage de lecture causa pourtant la fin des *opritchiniki*. Les moines de Lucien se lassèrent bien vite de ces livres difficiles à comprendre et, en vérité, fort ennuyeux. Mais pas Lucien. Il avait continué à lire, encore et toujours, au point d'en avoir un peu gâché sa vie, jusqu'à ce qu'il s'arrête enfin, n'en pouvant plus. Il n'avait plus ouvert de livres depuis plusieurs années; tous ces bouquins qu'il avait soigneusement accumulés alors qu'il était beaucoup plus jeune stagnaient, empoussiérés à jamais, dans sa bibliothèque. Lucien croyait agir envers son garçon de la même manière que tous les pères qui ne veulent pas voir leurs fils répéter leurs erreurs: comme l'Émile de Rousseau, pour les mêmes raisons et pour bien d'autres encore, son enfant ne lirait pas. Voilà ce en quoi consistait à ses yeux la principale valeur symbolique de son cadeau: il espérait dérisoirement avoir donné une armure à un Perceval enfant, afin qu'incommodé, mal à l'aise dans cet accoutrement trop grand et trop lourd, le gamin s'en lasse à tout jamais.

## Lucien et Mathilde

Les invités se dispersèrent alors et Lucien lui aussi quitta l'enfant, l'abandonnant sur le plancher, près du livre éventré, près de ce cadeau si spontanément dédaigné par le bambin. Le père passait d'un groupe d'invités à l'autre, il blaguait, s'amusait, faisait montre d'un bonheur remarquablement franc. Il ressentait en même temps une indolente lassitude et on imagine que l'enfant voyait, dans les gestes de son père, la grâce d'un souverain aimé qui accomplit ses actes de bonté non pas le cœur joyeux, mais avec un air épuisé et condescendant que personne ne remarque. Lucien était toutefois vraiment pris par ces gens qu'il avait invités, ou par l'esprit de la fête, et, les vapeurs de l'alcool prédisposant à l'oubli, il oublia, ainsi que tous les autres, les enfants prétexte à la fête.

Il se tournait plutôt vers Mathilde, remarquait que cette jeune fille, tellement aérienne, se déplaçait avec une insouciance supérieure, parmi les invités, ces gens qui paraissaient ce soir-là si loin de leurs tracas, possédés eux aussi par l'insouciance. Mathilde avait été une élève de Lucien, alors que celui-ci était au tout début de cette carrière professorale qu'il prétendra exécrer à l'avenir. Lucien se rappelait fort bien la Mathilde de cette époque: maigre, longue, sèche, gauche, arrogante comme on ne peut l'être qu'à quinze ans, elle avait été d'une discrète indiscipline qui minait, avec efficacité, les tentatives du professeur néophyte cherchant à se faire respecter des adolescents braillards à qui il enseignait, ces jeunes qui lui avaient montré dès le départ, de la manière la plus claire qui soit, qu'ils ne voulaient pas de lui. Plus que toutes les autres, elle avait réussi à se faire détester, parce qu'elle utilisait à cette fin sa grande intelligence, sans que cela ne soit prémédité, parce que, tout simplement, elle s'acquittait avec le plus de facilité de ce que tous les adolescents de la classe, paradoxalement en mal d'amour, tentaient d'accomplir.

Puis, à la fin de l'année, elle quitta rapidement l'esprit de Lucien, comme tous les autres élèves, comme tous les autres visages d'étudiants furtifs, qui s'imposaient avec tant de force pendant l'année scolaire en cours, avant de se fondre dans la multitude des étudiants disparus.

Contrairement aux autres, Mathilde était revenue en force dans la vie de Lucien. Elle était revenue bien en chair, métamorphosée en jeune femme désirable et aussi consciente de son charme que la petite fille élève de Lucien s'enlaidissait par ses grimaces et ses imitations maladroites de femmes plus vieilles. Le discours de Mathilde était devenu posé, calme, articulé, comme celui des femmes séduisantes que Lucien connaissait, son corps s'était formé, arrondi, et il adoptait, avec une aisance déconcertante, cette grâce féline que l'adolescente avait en vain recherchée. Lucien retrouvait à peine en elle les germes de l'adolescente disparue, germes mauvais, lamentables, étouffés à jamais par la femme qui en était née. Il oublia instantanément la haine avouée qu'il avait jadis éprouvée pour elle, ainsi que les tours pendables que l'élève indisciplinée lui avait joués. Il ne voyait plus que ce qu'il avait refusé de voir à l'époque, une sensibilité écorchée qui se manifestait sur son visage et dans le moindre de ses gestes, au point de la rendre aujourd'hui parfaitement vulnérable. L'attrait de Lucien envers Mathilde était accentué par ce plaisir si vif de constater la métamorphose: il s'amusait à poser des équivalences, à dresser des liens entre le passé et le présent, il éprouvait envers elle le plaisir malsain du collectionneur qui, après avoir investi négligemment dans un objet banal et décrié, constate avec surprise que cet objet a pris par la suite une valeur inestimable.

Lucien avait rencontré Mathilde dix années après lui avoir enseigné. Il l'avait croisée tout bonnement sur le trottoir sans la reconnaître; il l'avait d'abord regardée rapidement, discrètement, comme tout homme bien portant regarde une jolie fille. Mais celle-ci s'était brusquement arrêtée, avait souri, au grand étonnement de Lucien, qui se demandait s'il ne l'avait pas regardée avec un peu trop d'insistance. Elle avait alors murmuré son nom, ou plutôt l'avait laissé échapper de ses lèvres, sans le prononcer, avec un curieux étonnement dans le regard, celui de

revoir ce bonhomme dont elle avait autrefois subi l'enseignement, ce professeur qui n'avait pas changé d'un poil.
Lucien gardait en effet le même air supérieur, magnifique parmi
les passants anonymes, et qui avait été dans le passé une arme
défensive remarquablement efficace contre les adolescents qui
cherchaient à abuser de lui. Mathilde parut particulièrement
heureuse de cette rencontre. Elle expliqua à Lucien qu'elle
venait d'emménager dans le quartier. Elle habitait avec sa mère,
étudiait toujours et travaillait dans un hôpital pour gagner sa vie.
Mathilde et Lucien se quittèrent rapidement, chacun laissant
l'autre à ses souvenirs.

Le hasard des rencontres fut heureux pour tous les deux. Ils
ne manquèrent pas de se croiser par la suite, à l'improviste, sur
le trottoir, dans les magasins, dans l'autobus. Un jour, ils se
virent au café. Lucien y était assis avec un journal et Mathilde,
qui arriva avant que Lucien ne soit servi, vint s'asseoir tout
naturellement avec lui, comme s'ils s'étaient donné rendez-
vous. Il en découla une fort belle scène de séduction, qu'ils
crurent toutefois sans suite.

Trois jours plus tard, Lucien croisa à nouveau Mathilde sur
le trottoir. La jeune fille, frondeuse, l'invita chez elle, sous un
prétexte quelconque. Sa mère, disait-elle, ne tarderait pas à
entrer, mais ils auraient tout de même quelques minutes à eux
pour continuer l'agréable conversation entreprise quelques jours
plus tôt.

L'appartement était petit, étouffant. On y sentait l'om-
niprésence de la mère et presque rien de la fille. Le décor
chargé, rempli de bibelots de toutes sortes, de bien mauvais
goût, amusa Lucien. La propreté éclatante rapprochait cet
appartement moderne non pas du laboratoire hyperaseptisé d'un
grand hôpital, mais, pensait Lucien, d'un temple mystérieux où
le non-initié, malvenu, tenu en respect par l'ordre irrépressible
du lieu, risquait de souiller à son insu le moindre des objets, qui
brillaient d'une pureté originelle. «Il n'y a rien à moi ici, disait
Mathilde, je n'y suis que de passage...» Ils entrèrent dans la
chambre de la jeune fille, pareille à tout ce que Lucien avait vu

dans la maison, aussi laide, aussi conventionnellement meublée. Lucien se prit à rêver. Il imagina, à cause de la propreté outrée de la pièce, que son corps nu et celui de Mathilde pourraient glisser sans contraintes sur toutes les surfaces de cette chambre, profanant le temple, défiant les lois de la gravitation, comme dans une eau pure. Tout dans cette chambre, le lit, le bureau, le plancher, la commode, le miroir, les murs, serait au service de l'amour. Lucien embrassa alors dans le cou Mathilde, qui protesta, prétextant l'arrivée intempestive de sa mère, puis s'abandonna, caressant Lucien partout sur le visage, en disant qu'elle avait longuement rêvé de lui et qu'elle avait bien le droit, après tout, de faire ce qu'elle voulait chez elle.

La mère arriva alors que l'acte était à peine accompli. Elle appela Mathilde en entrant dans la maison, par habitude, et celle-ci lui répondit, le plus légèrement qui soit, d'un soupir amoureux, qui ressemble, fort heureusement, au gémissement d'un dormeur qui s'éveille. Lucien dut se rhabiller et disparaître en vitesse, scène vaudevillesque qui l'amusa plus que tout ce qu'il avait vu au théâtre; il s'enfuit en passant par la fenêtre et par l'escalier de service, après avoir longuement embrassé Mathilde, et en pensant, non sans sourire, à Faust bernant la mère Oppenheim.

Voilà deux semaines que ces événements s'étaient déroulés. Lucien regardait Mathilde se mêler aux invités et il se surprenait à la trouver si belle. Il s'inquiétait aussi. Il craignait ce qui se cachait derrière ses sourires comme le marin craint l'immense masse sous la partie visible de l'iceberg. Il anticipait les cris et les pleurs inhérents à toute relation amoureuse, il s'interrogeait sur cette fille que seul le temps lui permettrait de connaître. Il se laissait surtout porter par les premiers moments de l'amour, qui à chaque fois l'envoûtaient et lui communiquaient une joie intense, celle d'un explorateur en route pour l'Eldorado.

## Naissance de Daniel

Lucien se tourna à nouveau vers son fils. Daniel. Il l'avait appelé Daniel. Il n'aurait su dire pourquoi. Le choix d'un prénom était pour lui une pure formalité. Il aimait ce prénom parce qu'il aurait pu tout aussi bien convenir à une fille et qu'il laissait flotter, pour ceux qui l'entendaient, une délicieuse ambiguïté. Il pensait surtout à Daniel, le prophète dans la fosse aux lions. Rien ne lui plaisait plus que d'avoir mis au monde un prophète, un être en contact profond avec Dieu et le Verbe, un prophète que lui-même formerait, illuminé et iconoclaste, dans un monde voué à l'éphémère, un prophète de l'ignorance sauvage qui aurait la force de Jésus chassant les marchands du Temple. Mais, lorsque Lucien regardait son fils en oubliant ces dérisoires rêves de gloire et qu'il portait sur lui l'œil inquiet du père préoccupé de la simple survie de l'enfant, il se disait que l'image du sage dans la fosse aux lions était celle de tout homme, de toute femme laissés libres dans un monde sans pitié. Le nom de Daniel, associé à un prophète qui avait si aisément survécu à l'épreuve des fauves, serait pour son fils un porte-bonheur, aussi efficace que ces colliers aux dents de lionnes portés par les sorciers bantous.

Lucien vit alors que Daniel ne se trouvait plus sur le plancher, à côté du livre, mais sur une chaise, parfaitement immobile, seul, la tête lourde, les yeux dans le vague, une main sur le pied, l'autre dans la bouche, tourmenté, probablement, par des idées embryonnaires d'enfant naturellement inquiet. Un invité, qui avait failli écraser cet enfant oublié, l'avait ainsi juché, sans davantage se préoccuper de lui. Lucien se dit alors qu'il commençait enfin à l'aimer, passionnément, ce marmot qu'il avait toujours cru sans âme, vulnérable à l'excès, qu'il n'avait protégé que par devoir. Il prit l'enfant dans ses bras, doucement, tendrement, comme un vrai père cette fois, l'embrassa une fois de plus sur le front. Il eut cependant l'impression que ces actes le rebutaient et il ne put s'empêcher de se demander encore une fois s'il avait bien fait de vouloir cet enfant.

Il se revit alors dans un café enfumé, en compagnie d'une dizaine de personnes réunies par hasard, un triste soir de novembre. On tâchait de rire, on discutait pour discuter, on buvait. On essayait de couvrir le bruit de la pluie qui tombait abondamment, pluie monotone qui sévissait depuis plus d'une semaine et qui servait d'explication à la triste humeur de chacune des personnes assemblées autour de la table. Lucien, comme d'habitude, parlait à tue-tête, avec une voix si haut perchée qu'on croyait parfois entendre une femme; il se plaisait à être grossier et vulgaire, pour être assuré de capter l'attention. Il parlait surtout pour lui-même, pour fuir certaines idées de mort qui se faisaient un devoir de revenir à tous les mois de novembre, comme si elles suivaient le calendrier. Peu à peu, les gens partirent. Ils fuyaient ce café tellement morne en novembre, comme si toute l'atmosphère pesante de cette soirée s'était concentrée dans ce café, gardée en captivité par les gens autour de la table. On trouva donc toutes sortes de prétextes pour s'en aller, tandis que Lucien, le cerveau paralysé, pris d'horreur pour la pluie à l'extérieur, pour son appartement trop grand, vide, sinistre, humide, inconfortable, ne trouva rien, vraiment rien, pour quitter l'endroit et resta, bien malgré lui, inexorablement lié à ce verre rempli d'une bière tiède qu'il tenait désespérément entre les mains. En face de lui était assise une jeune femme qui, elle non plus, ne se décidait pas à partir et qui gardait les yeux obstinément fixés sur le bord de la table. Lucien ne savait comment l'aborder. Il se mit alors à parler, pour ne plus avoir à penser; il disait n'importe quoi, les mots sortaient spontanément de sa bouche, pareils à de mauvaises herbes dans un jardin mal entretenu. Curieusement, la jeune fille souriait, en redemandait.

Tout en parlant, Lucien pensait à son amie, Andrée, qui avait profité d'un arrêt de travail pour rentrer dans sa ville natale et visiter sa famille. Il se disait qu'elle l'avait lâchement abandonné au moment de l'année où il avait le plus besoin d'elle, mais que cette jeune fille en face de lui, du même âge que son amie, moins jolie, avec des yeux plus sombres et une voix plus grave, lui faisait curieusement le même effet que sa maîtresse, recevant ses dithyrambes avec la même passivité, lui renvoyant les mêmes sourires. Lucien et la jeune femme restèrent à parler jusqu'au milieu de la nuit. Puis Lucien alla dormir chez elle. Il avait trompé Andrée, tout simplement, ce qui lui fit ressentir l'inévitable mélange de fierté et de remords engendré par ce genre d'aventures.

Lucien ignora même jusqu'au nom de cette jeune fille.

Quelque temps plus tard, à la grande surprise de Lucien, elle lui téléphona. Elle avait eu son numéro par un ami commun, présent au café le soir de leur rencontre. Elle lui dit que ce qu'elle voulait lui apprendre était trop important pour le lui annoncer ainsi et lui donna rendez-vous, chez elle, le plus tôt possible.

Lucien se mit à craindre les emmerdements. Il voulut se débarrasser le plus tôt possible de cette histoire. La jeune fille l'accueillit avec une politesse glacée, en lui lançant des regards furtifs qui évitaient avec soin ceux de Lucien. Elle lui apprit tout bonnement qu'elle était enceinte. Elle en prenait la totale responsabilité, n'avait jamais cru que ce genre de chose puisse lui arriver à son âge, avec son expérience, affirmait avoir péché par excès de confiance et en avait honte. Elle avait longuement hésité avant de l'appeler, mais avait décidé de partager les émotions que lui faisait vivre cette histoire avec celui qui en était à l'origine. Elle pensait à se faire avorter, même si cette idée la dégoûtait au plus haut point. Puis elle se mit à rêver tout haut. Ses pensées la firent pleurer. Elle avoua à Lucien qu'elle ne souhaitait rien de mieux que de mettre au monde cet enfant .

Alors, à ces mots, le regard de Lucien s'illumina. Il réagissait à la même vitesse qu'un voyou à qui l'on propose un coup génial et dévastateur. Il voulait cet enfant! Il avait enfin l'impression de se sentir «prêt», de se sentir prêt à devenir père, comme si la paternité était un devoir pour lui, une prédestination, et qu'il n'avait qu'à choisir le moment où elle lui conviendrait le mieux. Mais aussi il était convaincu que sa vie n'était qu'un misérable gâchis, que ses rêves de jeunesse s'étaient effondrés un à un; à plus de trente ans, il croyait déjà avoir raté sa vie comme on ne la rate que rarement. Le fait d'avoir un enfant pourrait lui procurer une certaine consolation, un moyen sûr de se tenir en vie et — sempiternel désir de père! — il espérait, avant même sa conception, que cet enfant lui donnerait une seconde chance de vaincre sa trop ingrate destinée. Un enfant, une deuxième chance! Déjà, en ce deuxième anniversaire de son fils, il savait à quel point cela était dérisoire. Il s'en voulait d'avoir un jour osé penser ainsi; il caressa cet enfant qu'il tenait contre son sein, cet enfant fragile qui dormait maintenant dans ses bras, au milieu du bruit, du jazz, des invités qui parlaient, s'amusaient et ignoraient le père autant que le fils.

Lucien et la jeune femme conclurent alors l'arrangement suivant: la jeune femme mettrait l'enfant au monde, et Lucien en assumerait à lui seul toute l'éducation. C'est ainsi que, huit mois plus tard, Lucien reçut ce gras colis de chair hurlante, rose et laid comme tous les bébés, qui grimaçait, gigotait, affichait une santé rayonnante. Il l'avait pris dans ses grosses mains maladroites, comme un ogre qui cueille une fleur, mais la fleur lui répugnait et l'enfant pleurait à s'arracher la gorge, pour soumettre, avec cette arme du faible, le géant à ses caprices. Lucien, dégoûté, pensa à donner au bébé ce qu'il voulait, ainsi qu'on donne l'aumône à un mendiant, pour s'en débarrasser; il lui passa plutôt les doigts sur le visage, avec le plus de douceur possible; il essaya de le trouver beau et remarqua enfin combien il était gros et solide.

La mère vint le voir à quelques reprises, entre deux voyages, car son métier l'obligeait à voyager constamment, puis elle disparut à jamais, entraînée par un étranger vers ce Sud mythique qui faisait rêver tout le monde, sauf Lucien. Elle avait expliqué à Lucien, peu avant la naissance de Daniel, que sa grossesse la comblait. Elle voyait, dans ce geste d'enfanter, une forme de justification de son propre corps, un moyen de vivre une expérience ultime. Elle était heureuse de vivre cette expérience seule — puisqu'elle ne voyait Lucien qu'à l'occasion —, en cachette, comme si elle s'adonnait à un vice, pour son propre plaisir ou pour sa propre douleur, pour se libérer de ce qu'elle considérait comme une folie inoffensive qui la grugeait en douceur de l'intérieur. En mettant un enfant au monde, elle contribuait aussi à cette noble tâche de peupler la terre d'enfants, tout en évitant à son futur bébé le fardeau d'une mère, à défaut de le soulager aussi d'un père.

Pendant qu'elle parlait, Lucien l'avait regardée, impassible, et lui avait caressé le ventre, ainsi qu'on lui avait dit de faire, en guise de premier contact avec l'enfant.

Andrée, qui avait accepté avec bonhomie l'infidélité de Lucien, apprécia beaucoup moins la présence d'un enfant dans une relation qu'elle n'avait pas clairement définie, qui se situait, selon elle, quelque part entre le simple flirt et une relation dite «sérieuse». Leur amour était né d'une longue amitié et avait pris forme au cœur de l'ennui, alors qu'ils avaient, l'un et l'autre, préféré s'aimer plutôt que de se préoccuper du vide de leur vie. Elle quitta donc Lucien, sans pleurs ni grincements de dents, et sans même que Lucien s'en aperçoive, tellement il était captivé par sa nouvelle progéniture.

Lucien fut pendant quelques longs mois un père modèle. Il avait nourri, soigné, lavé, torché, cajolé son enfant, avec tout le semblant d'affection nécessaire; il se découvrait des aptitudes à la paternité qu'il ne se connaissait pas. Il s'était enfermé, coupé de toute vie extérieure pour être à la fois le père et la mère de cette larve inassouvissable. Puis, l'ennui l'avait saisi à nouveau, lui était tombé dessus, inévitable, telle une pluie grisâtre qui arrive enfin à percer un ciel trop humide. Il avait alors rencontré Mathilde, qui lui avait redonné un enthousiasme inespéré et un nouveau prétexte pour aimer son fils.

Lucien regardait encore l'enfant qui dormait entre ses bras. Il avait rêvé d'avoir une fille qui lui aurait ressemblé, qu'il aurait eu le plaisir de voir circuler, plus tard, en double féminin de lui-même. Il avait eu ce garçon au caractère qu'on pouvait déjà qualifier d'étrange, qui se renfrognait dans un silence mystérieux, ne sachant articuler aucun mot, même pas un quelconque attendrissant «papa», et qui regardait constamment

Lucien de ses yeux vertigineux, comme s'il avait affaire à un fou.

Tout à coup, après qu'une invitée eut poussé un cri particulièrement strident, l'enfant s'éveilla. Lucien se dit qu'il était temps de le mettre au lit. Daniel se sentait pourtant parfaitement bien dans les bras de son père; il avait l'illusion d'être protégé du monde hostile, même si le monde, en cette soirée, lui semblait moins hostile que jamais, à cause des invités de son père, de ces gens qu'il n'aimait pas, mais qui peuplaient la maison de bons esprits, qui chassaient les fantômes envahissant habituellement les coins sombres et les armoires ouvertes aussitôt que son père s'éloignait de lui.

## Fin heureuse d'une belle soirée

Lucien porta l'enfant dans son lit, qu'il devait partager ce soir-là avec le cousin Alexandre qui dormait déjà, et qui s'éveilla à la lumière. Alexandre salua son oncle et sourit à Daniel qui l'ignora majestueusement. Daniel s'endormit instantanément, avant même que l'on ait éteint à nouveau la lumière.

En sortant de la chambre, Lucien aperçut sur le plancher le livre qu'il avait donné à Daniel, un exemplaire usé de *Notre-Dame de Paris,* dépoussiéré spécialement pour l'occasion. Curieusement, alors qu'il en feuilletait distraitement les pages, il se remémora ce moment où il avait dû choisir une profession. Que pouvait-il donc faire de sa vie, se disait-il à l'époque, alors qu'il ne voulait rien faire? Que pouvait-il faire, alors qu'en réalité il ne savait que lire et désobéir? On lui avait suggéré la noble profession d'enseignant; pareil à une jeune fille nubile à qui l'on présente celui qui sera son mari, il avait dit «oui» à ses braves conseillers, il avait dit «oui, je serai enseignant...» sans en prévoir les conséquences, sans se douter qu'un jour il ne serait plus adolescent, qu'il aurait des tonnes de comptes à rendre à des gens qu'il mépriserait. Il se retrouva donc à son tour professeur, lui qui en avait fait souffrir un si grand nombre, livré à des jeunes qui n'aimaient pas les professeurs. Tournant toujours rêveusement les pages, il pensa à ce que les livres lui avaient légué: un sentiment d'éternel inconfort, une situation d'équilibriste, alors qu'il dépérissait, pris entre l'exaltation tirée de ses lectures et la vie réelle, situation qui s'était résolue depuis, le plus tristement qui soit, à partir du moment où il avait perdu la croyance naïve que sa vie pourrait rejoindre un jour ses rêves. En Don Quichotte guéri, il se mit à réfléchir sur la douleur que lui procuraient ces idées, comme s'il en tirait secrètement une certaine jouissance, ou comme s'il fallait qu'il la ressente vivement afin de la chasser pour longtemps de ses pensées. Et pendant qu'il méditait ainsi, ses doigts allaient encore d'une page à l'autre, sans que son regard se pose sur les mots dévoilés.

Mathilde le tira doucement de sa rêverie. Elle lui caressa les cheveux, l'embrassa sauvagement et lui demanda ce qui n'allait pas. Lucien, en âme légère dont les pensées n'ont pas de poids, redevint immédiatement heureux. Il regagna la fête, flanqué de Mathilde, vida allègrement quelques bouteilles et fut possédé par toute la joie de l'ivrogne épanoui. Il aurait voulu que la soirée se termine comme le finale triomphant d'un opéra, qu'un chœur surgisse des chambres et un orchestre du plancher, que le tout laisse dans les mémoires un souvenir de clinquant, d'artifice, et donne à chacun la très belle conviction d'avoir passé une fausse mauvaise soirée.

# Chapitre 2

## Portrait en pied de Lucien par son fils

Daniel, devenu grand, aimerait rassembler tous les souvenirs de son père. Il ne conserve de lui qu'une petite photo qui a survécu par miracle aux nombreux chambardements de sa vie. Il se voit sur la photo, enfant maigre et triste, en compagnie de son père, les traits tirés, les cheveux ébouriffés, très beau, tellement que Daniel aurait hésité à considérer le portrait crédible s'il n'avait rencontré, très rarement, dans la rue, des gens d'une beauté similaire. Étendu sur son lit, Daniel aime projeter mentalement cette photo sur les murs blancs de sa chambre. Il en voit alors les personnages s'animer, s'agiter, il se regarde, marmot tranquille, maladroit, sans charme, et se prend en pitié, ayant peine à croire que cet enfant fragile n'est autre que lui-même. Les yeux ouverts, prêt à l'insomnie, il transforme et mélange ses souvenirs, pour les rendre meilleurs, ou pour les rendre plus vrais. Il n'a pas le choix: seul témoin de son enfance, il ne peut voir son passé qu'à travers le prisme à la fois traître, déformant et rigoureusement précis de ses propres souvenirs.

Il regarde donc son père. Il le voit blond, très blond, de la même blondeur que sa tante Louise, une blondeur incandescente qui couronne la tête d'un halo de lumière. Il le voit grand. Tellement grand que Lucien en ressentait un malaise et devait se contorsionner disgracieusement le dos, les jambes, le cou, pour se mettre au niveau des gens. Il étalait en permanence un sourire exalté, sur un visage dont la peau était parfaitement glabre, sans le moindre poil de barbe, comme une peau d'Indien. Les yeux étaient vifs, toujours en mouvement, en chasse, en quête perpétuelle, incapables de fixer quoi que ce soit. Ils avaient ainsi un pouvoir opposé à celui des hypnotiseurs, mais gardaient un remarquable ascendant, parce qu'ils entraînaient inévitablement dans leur mouvement tous ceux qui les regardaient. Lucien avait enfin la jeunesse de ceux qui connaissent le secret de l'eau de Jouvence, une jeunesse que trahissaient seulement quelques rides autour des yeux. Daniel ne voit plus ces rides depuis longtemps, puisqu'il a donné à son père, depuis sa mort, une dimension mythique, ce qui fait qu'il a peut-être une perception entièrement erronée de ce père trop tôt disparu. Mais les déformations de l'image paternelle, engendrées par les rêves de Daniel, font surtout que ce dernier attribue à Lucien une jeunesse éternelle, de sorte que Lucien à quarante ans a encore dans les souvenirs de son fils la vigueur et le teint rose d'un Roméo.

## Lucien et Mathilde *(suite)*

Mathilde prit rapidement ses aises avec Lucien. Elle ne voyait presque plus sa mère et s'était installée chez lui, tout naturellement, sans que personne y prêtât attention, comme s'il était parfaitement normal qu'elle y vive. Elle s'y installa comme une étrangère toutefois, puisque sa vie mouvementée d'étudiante la forçait à se disperser entre ses cours, ses diverses activités et son travail purement alimentaire qu'elle détestait. Elle passait dans la maison en coup de vent, remuait la poussière, y recréait l'ordre, puis disparaissait à nouveau. Elle réussissait, en peu de temps, à transformer littéralement l'intérieur du logement. Elle ramassait tout ce linge, ces objets épars que Daniel et Lucien laissaient traîner avec indifférence, elle nettoyait, à la vitesse de l'éclair, les murs, les tables et les planchers. Elle contribuait, par sa seule présence, à former le noyau nucléaire immémorial qui transformait ce foyer négligé, sans femme, sans joie, en unité enfin conforme à tant d'autres; l'espace tout entier du grand appartement très sombre de Lucien en devenait apaisant, rassurant.

Mathilde avait le don d'égayer Lucien, de transformer sa vie, de lui donner cette intense signification que l'amour donne à la vie. Lucien ne savait pas à quel point il aimait Mathilde. En pensant à elle, il songeait aux histoires d'amour rédempteur dans les opéras de Wagner. Il voyait en Mathilde la femme qui mettrait fin à ses incessantes croisades amoureuses, la femme auprès de qui le guerrier se reposait, ou celle qui calmait Don Juan déçu, Don Juan malgré lui, emporté comme tant d'autres par le rythme effréné des amours contemporaines. Rien pourtant ne lui permettait d'entrevoir sa relation d'un œil si sûr: il connaissait encore bien mal son amie, et Mathilde lui semblait aussi légère que les autres femmes qu'il avait connues, aussi légère que lui-même peut-être. Mais il avait l'assurance qu'il garderait cette jolie fille auprès de lui, parce qu'il le voulait, tout simplement.

Daniel souffrit de cette histoire d'amour. Lucien ne jurait plus que par Mathilde; il passait de longues heures avec elle, enfermé dans sa chambre, dans un huis clos qui épouvantait l'enfant. Daniel s'installait parfois devant la porte fermée qui s'imposait telle une muraille et il cognait, longuement, doucement, aussi patient qu'un chat, avec la régularité d'une pluie automnale, possédé de cette seule certitude qu'on ne viendrait pas lui répondre. Rarement, lorsque Lucien était las de l'entendre buter ainsi contre la porte, on se décidait à lui ouvrir. Plutôt que de recevoir l'accueil réservé à un enfant perdu et retrouvé, Daniel se faisait sévèrement réprimander et c'est sous des regards hostiles et réprobateurs qu'il pénétrait dans cette chambre, pareil à un pécheur notoire qui entre dans une église pleine à craquer.

Mathilde ne parlait presque pas à Daniel; elle le regardait à peine. Elle était à son endroit lui d'une magnifique indifférence et, parce qu'elle aurait préféré Lucien sans enfant, elle avait fait le compromis de vivre avec Daniel sans y croire, quitte à l'adopter plus tard, tel un enfant tout frais, tout nouveau, si elle découvrait un jour qu'elle aimait vraiment Lucien. Cette indifférence plaisait à Daniel. Il ne considérait pas Mathilde comme une mère ou une amie, mais comme un de ces enfants nouveau-nés qui viennent monopoliser l'affection des parents. Seuls le charme réel de Mathilde, sa jeunesse, sa beauté et les quelques mots si doux qu'elle parvenait à lui adresser, empêchèrent Daniel de la haïr.

Le ménage alla bon train pendant plus d'un an. Daniel commença par supporter Mathilde, puis il arriva malgré tout à la trouver fort acceptable. Mathilde et Lucien donnaient l'illusion du bonheur. Daniel ne savait pas toutefois que les apparences d'un couple uni sont souvent trompeuses. Les liens entre Mathilde et Lucien restaient en fait aussi fragiles que tous les êtres instables de leur nature. Vivant en liberté dans un monde où tout est permis, ils trouvaient autour d'eux de multiples prétextes pour briser leur amour, même si, au plus profond d'eux-mêmes, ils ne souhaitaient rien de semblable.

Mathilde commença, mine de rien, à envenimer la situation. Elle se fit remarquer par ses absences. Absences physiques d'abord, puisqu'elle venait moins souvent à la maison et justifiait ses escapades par les explications les plus variées. Absences en esprit surtout, qui furent les plus cruelles à Lucien, puisqu'il ne sentait plus alors avec lui la Mathilde qu'il aimait, mais une autre, étrangère, mystérieuse, malveillante, irascible, médiocre substitut de la première. Mathilde tâchait de ne pas se montrer différente. Elle garda toutefois son enthousiasme pour parler de garçons qu'elle voyait à l'extérieur. Elle parla d'abord d'un dénommé César, un original inspiré avec qui elle travaillait à l'hôpital. Puis, elle le délaissa en faveur d'un étudiant, camarade de classe, très beau garçon, qui se nommait curieusement Daniel, mais qui n'avait en rien le caractère du fils de

Lucien. Mathilde fit l'éloge de ces garçons avec tant d'esprit et de grâce — éloges qui contrastaient avec des défenses systématiques face à une éventuelle attirance envers eux (du genre «tu sais, dans le fond, il ne m'intéresse pas» ou «je ne supporte pas tel ou tel défaut») — que Lucien, rompu aux intrigues amoureuses de toutes sortes, comprit immédiatement qu'elle le trompait.

Lucien entreprit de réagir rationnellement à cet état de choses. Tant que Mathilde lui parla de César, il décida de la laisser aller, d'attendre, de calmer sa rage secrète, dans l'espoir que l'ordre se rétablirait de lui-même et que César disparaîtrait, comme ces amants qu'on sait volages et qui n'existent que le temps d'un plaisir. Mais Daniel avait remplacé César et un autre César remplacerait probablement Daniel. Lucien se disait que l'infidélité n'est supportable que si elle est réciproque. Il se rappela même une certaine maîtresse qu'il avait eu plaisir à surprendre infidèle, parce que cela lui donnait enfin l'occasion de s'offrir, en toute quiétude d'âme, cette jeune voisine et cette autre agréable compagne qui le bouleversaient depuis trop longtemps déjà. Lucien avait toujours prétendu que l'amour résultait d'une série de hasards heureux, que les hommes et les femmes se rencontraient et s'accouplaient à la suite d'occasions tellement gratuites, tellement invraisemblables, que toute conception idéaliste de l'amour lui paraissait insoutenable et dérisoire; il admirait ainsi, à travers la superbe interchangeabilité des rapports amoureux, cette attention délicate de la nature à ne pas laisser les hommes et les femmes trop longtemps sans amour. Lucien venait de découvrir que le mauvais sort avait changé les choses. Ou plutôt que Daniel, son fils, avait brouillé les cartes. La paternité avait calmé les élans fougueux de Lucien et l'avait placé dans un état de servitude qui ne favorisait plus les rencontres galantes, l'éclosion de nouvelles amitiés, qui lui auraient permis de répondre à la défection de Mathilde. L'équilibre sacré de leur relation était donc rompu et Lucien n'avait pas les moyens de le rétablir. C'est à ce moment qu'il comprit l'ampleur de ce qu'il considérait comme une défaite et qu'il

sentit monter en lui les feux de la jalousie. Une jalousie
lancinante, d'autant plus malsaine que Lucien la niait, une
jalousie cachée, qui fermentait en lui et menaçait d'éclater, hors
de contrôle.

## Une querelle dans la cuisine

La scène fatale eut lieu plus tôt que Lucien ne l'avait
prévu, dans la cuisine, sous une lumière crue, impitoyable pour
le visage et les émotions qui s'y lisaient sans que l'ombre les
cache, devant Daniel qui essayait de ne rien voir et de ne rien
entendre, le nez collé dans son assiette. Le tout commença à la
suite d'une discussion au sujet de l'autre Daniel, l'ami de Mathilde. Lucien interrogeait sa compagne sur ce nouveau venu, il
la questionnait en toute innocence, voire même avec naïveté,
pareil à un détective habile, qui séduit d'abord, puis devient
impitoyable pour sa victime. Mathilde fut peu à peu poussée
dans ses derniers retranchements par l'acharnement soudain de
Lucien. Elle souhaitait une trêve, mais son ami attaquait sans
pitié, dévoré par le désir de savoir et par sa jalousie qui, enfin
libérée, risquait, par ses débordements, de mettre en jeu ce à
quoi il tenait le plus au monde. Le nom de Daniel revenait sans
cesse et l'enfant, qui ne parlait pas et réagissait toujours ner-
veusement à l'appel de son nom, comme un rat à une légère
décharge électrique, se croyait constamment interpellé, puis
voyait qu'on ne s'adressait pas à lui. Il sentait monter une
tension, reliée d'une manière certaine à son nom, et craignait les
événements à venir encore plus que l'orage. Lucien détestait
que ce prénom de Daniel, accolé à son rival, souillât celui de
son fils et créât une indicible confusion, une confusion
troublante, inévitable, qui faisait qu'à ce même nom étaient
associées des émotions on ne peut plus paradoxales. Entre
Lucien et Mathilde qui s'affrontaient, se trouvait attablé Daniel,
au bord des larmes. L'enfant se croyait en procès invrai-
semblable, causé par une suite de malentendus, alors qu'il se

savait innocent, ne comprenait rien à ce qui arrivait, mais pressentait toute l'ampleur de ce qui deviendrait pour lui un drame.

Lucien demanda tout à coup à Mathilde, en la regardant droit dans les yeux, si elle l'avait trompé. Elle répondit sans hésitation, fièrement, par défi, que oui, elle l'avait trompé. Il y eut d'abord un long silence. Puis Lucien s'approcha de Daniel, qui n'avait pas terminé son repas, et qui n'avait probablement plus d'appétit; il le prit dans ses bras, lui dit doucement qu'il était temps d'aller au lit. Très calme, sans rien dire, avec un sérieux inhabituel, il le borda, comme tous les soirs, l'embrassa sur le front, puis quitta la chambre. Daniel se leva aussitôt et alla s'asseoir quelque part dans le corridor, pas très loin de la cuisine, de manière à tout entendre sans être vu. Daniel adulte se souvient fort bien de la scène: il y eut d'abord des paroles chuchotées, puis de longs silences, suivis de cris perçants, ceux de Lucien, aigus et autoritaires, ceux de Mathilde, contenus, exaspérés, s'élevant en crescendo pour couvrir entièrement ceux de Lucien. Il y eut des bruits de chaises renversées, des éclats de verre brisé. Daniel entendit alors Mathilde quitter la cuisine en larmes, claquer la porte et la rouvrir aussitôt pour lancer de nouvelles injures à Lucien. La jeune femme disparut une fois pour toutes et Lucien resta seul, abandonné dans la cuisine, immobile pendant de longues minutes, sous un éclairage désespérément cru. Daniel trembla pendant toute la scène; il ignorait qu'elle était cruellement ordinaire. Il essaya d'adopter le comportement que son père lui avait appris devant l'orage: il transforma sa crainte en une admiration pour les forces de la nature déchaînée et tâcha de recueillir en lui toute cette énergie sauvage, déréglée, régénératrice d'une vigueur essentiellement bénéfique.

La querelle se révéla fatidique: Mathilde ne revint plus.

Lucien en fut profondément peiné. Il osa se demander de quelle nature était sa douleur. Il avait toujours confondu l'amour et les jeux de pouvoir. Ainsi, il ne pouvait dire si le chagrin énorme éprouvé à la suite de sa rupture avec Mathilde était causé par un attachement sincère, profond, irremplaçable envers la jeune fille ou par la blessure d'orgueil que lui avait infligée une Mathilde monstrueuse. Lui qui se débarrassait d'habitude avec une aisance remarquable de ses chagrins amoureux ne parvenait pas à s'expliquer son vague à l'âme. Il se demandait si sa tristesse était due à son incapacité de remplacer son amie de la même manière qu'il avait autrefois remplacé ses maîtresses récalcitrantes ou si cette tristesse était causée par un attachement particulier à Mathilde qui faisait que, comme dans le cas des beaux jeunes hommes séduits par les femmes fatales dans ces contes auxquels il n'avait jamais cru, la jeune fille était bel et bien l'élue de son cœur, et devenait indispensable, au-delà de la quantité de femmes qu'il avait connues. Mais Lucien, en homme d'action peu porté à la réflexion, tâcha encore une fois de se convaincre que cette histoire avait en vérité peu d'importance, que sa vie amoureuse bien remplie lui en avait fait voir bien d'autres, et il se consola avec cette conviction qu'il claironnait bien haut, avec un ton de bravade dans la voix, que Mathilde reviendrait et que la dispute ne pouvait avoir brisé aussi radicalement l'attachement sincère qu'ils avaient l'un pour l'autre. Daniel sentait cependant, par nombre de silences inhabituels qui venaient ciseler les discours foisonnants de son père, par trop de regards vagues, que la douleur faisait son chemin dans le ventre de Lucien, lancinante, troublante, comme les rêves de bonheur oubliés au réveil.

## Vie quotidienne de Lucien et Daniel

Daniel fut le premier à se réjouir de la défaite de Lucien. L'orage avait chassé l'intrigante et l'enfant se retrouvait seul avec son père qui le redécouvrait, non sans une certaine désinvolture, avec l'enthousiasme de l'amant déçu qui revient au foyer. Lucien et Daniel reprirent leur vie réglée comme une montre et parfaitement prévisible. Une vie que Daniel aimait ainsi, immobile, parce qu'il avait déjà trop à apprendre.

Tous les jours, pendant qu'il travaillait, Lucien faisait garder son enfant par une bonne dame du voisinage. Daniel a aujourd'hui oublié son nom, parce que Lucien se contentait de l'appeler tout simplement «la voisine». Cette dame recueillait chez elle tous les enfants à garder des environs. Protégée par ce bel altruisme, pensait Daniel, elle pouvait sans contraintes exercer sa méchanceté. Elle amenait les enfants dans le sous-sol où elle avait créé un petit univers faussement agréable, rempli de jouets idiots et de tout ce qui, imagine-t-on, plaira aux enfants. Daniel ne s'y trompait pas: la cave de la voisine ressemblait plutôt à un sordide Neibelheim, avec la forge centrale remplacée par un téléviseur ouvert à pleine puissance qui rivalisait de décibels avec les marmots braillards et la voix de stentor de la voisine. Daniel, enfant du silence, qui ne parlait pas, qui ne pleurait plus, craignait plus que tout les emportements de la grosse dame et consacrait toute son énergie à assurer ce qu'il appellera plus tard sa survie. Il évitait, avec une prudence maniaque, le petit geste, la mauvaise action qui aurait pu provoquer la colère de l'hostile cerbère. Pourtant Daniel n'avait rien à craindre: la gardienne avait été saisie par l'étrange personnalité de l'enfant et elle sentait, derrière le regard si lourd de Daniel, une force mystérieuse, d'un grand ascendant sur elle, qui exigeait la distance et le respect absolu. Daniel, trop différent des centaines d'enfants qu'elle avait connus, était à ses yeux un monstre, et le respect des monstres était pour elle comme le respect des morts. Ainsi, Daniel et la voisine évitaient soigneusement toute confrontation et conservaient une distance résultant de leur peur réciproque, comme celle que gardent l'ours et le chasseur désarmé.

Ce qui effrayait le plus Daniel, c'était la crainte folle, irraisonnée, que son père ne vienne pas le chercher à la fin de la journée, qu'il l'abandonne à jamais à cette femme cruelle. Il en serait mort, pensait-il. Et pourtant, tous les soirs à la même heure, précis comme pas un, Lucien venait sauver son enfant, le sourire aux lèvres, avec quelques bons mots pour madame la voisine qui, de son côté, douce et câline, ne manquait jamais de complimenter l'enfant.

Lucien et Daniel marchaient alors jusqu'à la maison, la main dans la main, ou Daniel sur les épaules de son père, semblables à un géant et à un nain dans un cirque à la fin de leur numéro, et Lucien ne savait que penser de lui-même, honteux de cette image de père comblé qu'il projetait, celle d'un bonheur trop facile à son avis, qui rassurait les gens qui le regardaient, lui souriaient, alors que derrière le sourire gêné qu'il leur renvoyait se cachaient beaucoup de pensées cruelles. Lucien imaginait de grotesques obscénités puisque, croyait-il, seules des actions vulgaires pouvaient impressionner ces gens, les marquer d'un mépris qu'ils ne comprendraient jamais. Mais son enfant le comblait effectivement. Lucien et Daniel se sentaient aussi heureux ensemble que ces couples de fiancés qui déambulent dans la rue remplis d'orgueil. Lucien aimait imaginer qu'ils marchaient tous les deux les yeux fermés, ou seuls dans la ville, ou dans une Sodome sans flammes où tous les habitants se seraient métamorphosés en statues de sel. Ils pourraient ainsi se promener, très lentement, en paix, heureux, jusqu'au crépuscule, jusqu'à ce que leurs ombres devenues immenses se perdent dans la nuit et que les ténèbres hostiles leur donnent envie de retrouver la quiétude de leur foyer.

Lucien parlait à Daniel, il lui parlait non pas comme à un enfant, mais comme à une grande personne apte à comprendre les menus problèmes quotidiens, les espoirs, les rêves échafaudés fragilement à chaque jour, oubliés le lendemain, perdus dans le fracas de la rue. Daniel semblait écouter attentivement: il fixait tantôt ses pieds, tantôt le visage de son père, et il avait l'air de si bien comprendre que Lucien s'attendait à l'entendre répondre, l'entendre dire une de ces phrases qui ne veulent rien dire, mais qui font tout de même du bien, parce qu'elles sont une réponse alors qu'on avait cru être seul.

Le logement de Lucien ressemblait à tous les autres aux alentours. Mais Daniel, à l'intérieur, y voyait le monde. Derrière chaque porte se cachaient non pas un lit, des chaises, des tables mais — lorsqu'il sera capable d'y croire — des paysages d'Arabie, des châteaux en ruines au bord d'une mer déchaînée, des rivières d'Amazonie avec des pirogues pleines d'Indiens. Les silences de la maison donnaient vie à toute une faune qui naissait de mille craquements à peine perceptibles, du vent qui sifflait timidement derrière les vitres, des bruits de la rue filtrés par les murs solides de la maison, et cette faune grouillante devenait rapidement hostile dans l'esprit de l'enfant. Il sentait alors le besoin de se coller contre son père et de l'entendre parler comme si rien n'était arrivé. À l'intérieur de la maison, Daniel n'aimait pas le corridor, beaucoup trop long selon lui, et qui était une marque de la démesure dans son quotidien. Il enviait à son père sa chambre, qu'il imaginait inépuisable de secrets, de mystères et d'objets inaccessibles. Il aimait, de cet amour maximal qu'on peut avoir pour un lieu, sa chambre, qui restait pour lui le seul endroit au monde où il se sentait parfaitement à l'aise. La nuit, lorsque Daniel était couché, Lucien se détendait en écoutant un jazz calme, mélancolique, monotone, et la musique flottait dans l'air, rasait les murs, se glissait jusque dans la chambre de Daniel pour le réveiller doucement, lui cajoler l'oreille du son plaintif d'un saxophone et lui permettre de se rendormir heureux, avec l'impression de sentir le souffle de son père tout près de lui.

La vie quotidienne de Daniel et de Lucien se déroulait sans heurts, sans problèmes, sans grandes joies. Lucien imaginait, à travers leur immobilité, à travers les gestes répétés tous les jours, avoir fixé, comme sur un vase antique, son image, celle de Daniel et celle du silence, tant il avait l'impression que plus rien ne changerait et que le temps n'avait plus d'emprise sur leur vie. Daniel ignore encore aujourd'hui s'ils vécurent vraiment heureux. Il ne garde que de minces souvenirs de cette période, qui se place à son avis quelque part entre les limbes de l'oubli et une conscience embryonnaire. Toutes ses images restent trop floues, enveloppées d'un brouillard qui s'épaissit à mesure que sa vie avance.

## L'enfant muet

Lucien avait une sérieuse inquiétude: à quatre ans, Daniel ne parlait toujours pas. Le teint de Daniel était extrêmement pâle, autant que celui d'un enfant malade. Lucien se disait que les pensées de son enfant étaient aussi vierges que cette peau trop blanche, que l'esprit de son fils, étouffé par trop de délicatesse, refusait de se manifester et se contentait d'une lâche position de témoin à qui rien n'échappe. Lucien s'en remettait aux yeux très expressifs de Daniel, à ces yeux ni noirs ni bleus, tellement riches et graves, comme s'ils avaient vu plusieurs fois l'humanité mourir et renaître; il essayait d'y recueillir le maximum de vie et d'y entendre un langage, pareil à une musique naissant des yeux, et des yeux jusqu'à l'âme de Lucien, comme de l'âme errante d'un violon, se dégageait une légère douleur qui les grisait tous les deux.

Lucien avait consulté médecins et spécialistes qui, de leur air bienveillant, l'avaient assuré que l'enfant ne courait aucun risque, qu'il était tout à fait «normal», que son refus d'apprendre à parler était dû à un blocage non identifié, temporaire sans doute, que son cas n'était finalement ni grave ni exceptionnel. Ils laissèrent Lucien à moitié rassuré, avec l'impression de porter une croix: Lucien avait voulu un enfant bavard et malin, il aurait aimé entendre des âneries d'enfant à cœur de jour, il aurait aimé un enfant qui distord joyeusement les mots et les traite comme des jouets, pour les faire naître de nouveau; il avait à la place un étranger à qui rien n'échappait, qui le scrutait sans pitié.

Lucien s'expliquait mal cette situation, symptomatique d'un certain malaise entre son fils et lui, alors que, selon lui, rien de concluant ne semblait se révéler derrière les symptômes. Lucien, qui se qualifiait de balourd, qui prétendait ne pas comprendre les femmes, qui ne cherchait même pas à se comprendre lui-même, voyait déjà l'enfant qui le fuyait, alors qu'il avait pourtant voulu le former comme de la glaise, en croyant que les enfants, plus souples que des soldats au régiment, prennent l'empreinte indélébile qu'on leur donne dès les premiers jours de leur vie. Mais Lucien voyait son fils minuscule se faufiler dans des zones obscures, inaccessibles à son corps encombrant; il ignorait, à son grand désespoir, que la fuite de son fils dans ces zones était peut-être une fuite face à lui-même, géant lumineux au rire d'ogre qui faisait sur un enfant fragile l'effet de la lumière sur les créatures de la nuit.

Certains amis, qui entendaient les blâmes majestueux que Lucien s'adressait, suggérèrent que l'enfant était tout simplement fort bête. Ils affirmaient que Daniel, en dépit des apparences, n'était pas encore rendu à ce stade où il aurait pu réaliser cette opération complexe qui consiste à apprendre un langage, ce qui, disaient-ils, ne devrait pas tarder, même si Daniel n'arriverait probablement jamais à une maîtrise idéale de la langue. Lucien alors se taisait. Il les laissait parler; il savait à quel point ces explications étaient fausses. Il recevait ces insultes — parce que, pour lui, il s'agissait d'insultes — avec la résignation de celui qui connaît la vérité quand tout semble démontrer le contraire. Il ne pouvait alors s'empêcher de se tourner vers son fils et de poser sur lui un regard doux rempli d'espoir. Il s'attendait à un miracle.

## La gardienne

Lucien ne put rester longtemps seul à la maison, avec un enfant aussi impénétrable. Il recommença à sortir, le plus souvent possible; comme avant la naissance de Daniel, il allait au cinéma, au théâtre, il visitait des amis, il fréquentait le Casablanca, établissement bruyant et animé où il rencontrait des gens plus jeunes que lui, où il draguait sans le dire, où il cherchait sans la chercher une femme pour une nuit, pour une vie, ou pour combler dérisoirement les plus beaux de ses rêves. Le Casablanca, appelé ainsi à cause du film célèbre, portait particulièrement bien son nom: les clients y laissaient leur âme au vestiaire pour jouer, sur la piste de danse, autour des tables et

même dans les toilettes, des personnages aussi grands que ceux
sur l'écran, aussi séduisants que dans le film — un film que
Lucien ignorait fièrement et qu'il se vantait de ne pas avoir vu.

Lucien faisait venir, en tant que gardienne, une de ses élèves, Sophie, jeune fille de bonne famille, douce, modeste, jolie,
avec des lunettes rondes sur le bout du nez et les cheveux
attachés à la nuque, ce qui lui donnait l'air d'une jolie grand-
mère. Parce qu'elle ne savait pas comment séduire, elle croyait
détruire volontairement son charme avec cette allure de vieille
enfant qu'elle se donnait. Mais cette tenue d'une modestie
exemplaire avait un charme certain. La jeune fille affichait ainsi
un air de bienveillance qui avait particulièrement rassuré Lucien.

Pourtant, elle effrayait Daniel. Elle était pour Daniel
l'étrangère, l'intruse, celle qui chassait le père, qui faisait que,
dans l'imagination de l'enfant, tout devenait fragile, les murs, le
plafond, les fenêtres, le ciel, tout risquait de s'effondrer au
moindre souffle. Sous le règne de Sophie, le silence devenait
impitoyable. Si lourd que tout bruit, même le plus ténu, s'amplifiait démesurément, pareil à un cri dans une caverne. Sophie
scandait régulièrement ce silence, en tournant les pages d'un
livre, et ce bruit si léger, plus que tous les autres, horriblement
disproportionné, hantait Daniel comme une cadence trop lente,
dont chaque martèlement le surprenait, venait à chaque fois le
ramener à lui-même. Sophie inquiétait d'autant plus Daniel
qu'elle échappait aux divisions simples et rassurantes qu'il
s'était faites de la race humaine: ni adulte ni enfant, ni grande ni
petite, ni femme ni fillette, elle était tout cela à la fois et restait
indéfinissable. Elle avait la candeur, le teint rosé et frais des
enfants, les formes et la gravité naissante des grandes
personnes, la voix d'une femme, avec des intonations d'enfant,
et de sa voix feutrée, elle appelait Daniel, avec une douceur
infinie. Daniel la fuyait par prudence, même si elle l'attirait,
irrémédiablement, comme un chant de sirène. Il allait plutôt se
terrer dans un coin, à l'abri dans un endroit où il pourrait la voir
sans être vu, pour se protéger d'une attaque. La gardienne

indifférente sortait à ce moment de son sac un gros livre, et ainsi commençait la cadence infernale.

Sophie était âgée de quinze ans. Elle était une élève douée et admirait Lucien; elle l'aimait de cet amour des bonnes élèves pour un bon professeur. Dans ses rêves, Lucien était à la fois le père et l'amant idéal. Elle conservait toutefois une distance respectueuse avec lui, non pas par timidité ou par pudeur, mais parce qu'elle avait atteint l'âge où l'on cherche à se débarrasser du père et où l'on ne saurait que faire d'un amant. Connaissant bien le caractère bouillant du père, elle s'étonna de se retrouver devant cet étrange enfant, craintif et sage, à l'extrême opposé de Lucien, et qui la fuyait comme si elle était malade de la peste. Elle se mit en tête de dompter cet animal sauvage; elle y consacrerait le temps qu'il faudrait, car les silences de la maison l'effrayaient, et les livres énormes qu'elle lisait ne comblaient pas tout le temps que duraient ces longues soirées. Elle sentait le besoin de se lier à l'enfant caché, dans un but anthropologique, pour se familiariser avec un être mystérieux, et pour se défendre des craintes que provoquait en elle la maison trop silencieuse, ainsi qu'un explorateur dans une jungle hostile aime échanger avec les membres de la tribu éparse des environs.

Sophie parvint un soir à attirer l'enfant près d'elle. Elle mit tant d'énergie à vouloir l'approcher que Daniel ne résista plus. Il se colla contre elle, de la même façon qu'il se collait contre son père, et il découvrit à sa grande surprise que les corps étaient interchangeables, puisque celui de Sophie lui semblait aussi chaud que celui de son père, le couvait, l'enveloppait d'un même halo qui lui faisait fermer les yeux avec confiance, sans que lui vienne l'idée de s'endormir. Mais Daniel reprit rapidement ses esprits et, honteux d'être tombé dans un piège, voulut fuir à nouveau. Tout juste à ce moment, Sophie ouvrit un livre, et alors qu'elle le feuilletait rapidement pour trouver l'histoire la plus convenable, Daniel crut voir une série de couleurs sans en saisir les dessins, ce qui provoqua sa curiosité et le força à rester quelques secondes de plus. Quelques secondes fatales, puisque Sophie commença alors à raconter et que Daniel, émerveillé, stupide, resta captivé, littéralement suspendu à la moindre des inflexions de la gardienne.

Daniel a vraiment eu ce soir-là une formidable révélation. Pourtant, il semble avoir oublié les détails qui lui sont associés. Il confond cette soirée avec toutes les autres passées avec Sophie, comme s'il n'y en avait eu qu'une seule. Il a beau chercher, fouiller, ce moment lui échappe, il a perdu tout son relief et en même temps tout son sens. Personne ne lui a raconté, personne n'aurait pu lui raconter cette soirée qui fut peut-être la soirée pivot de toute son existence. Ainsi, cet instant précieux a sombré dans l'abîme de l'oubli, il a rejoint tous ces moments sans intérêt où la vie est en suspens et que la mémoire ne juge pas bon de retenir. Daniel recherche avidement cette soirée perdue, il regrette d'en avoir échappé les souvenirs et déplore l'incapacité de ses facultés à exercer un contrôle sur ce qu'il doit oublier ou retenir. Il essaie de reconstruire dans son esprit ce moment privilégié où il eut la révélation de la lecture; il le fait avec de bien minces données, avec ce qu'il connaît de lui-même et de son enfance, comme un archéologue réussit à reproduire une ville à partir de quelques ruines, ou comme des savants reconstruisent des temples. Il s'imagine donc, assis tout près de Sophie, les yeux fixés sur le livre, la bouche ouverte, paralysé, et immobile encore lorsque Sophie avait refermé le livre et lui avait souri doucement, sans voir le brasier qu'elle avait enflammé.

Tous les soirs, Sophie faisait la lecture à Daniel. L'enfant, fasciné, voulut savoir d'où provenaient ces histoires. Il ne faisait pas de doute qu'elles venaient des livres. Il osa tout de même se demander, très rapidement, si elles ne venaient pas des lunettes de Sophie qui auraient projeté sur leurs écrans magiques ces histoires qu'elle seule aurait pu voir et qu'elle aurait retrans-mises avec une verve merveilleuse propre à ces moments d'illu-mination, telle une grande prêtresse ou une pythie. Il considérait les livres comme un mystère et la lecture comme une forme de communication avec l'au-delà. Il n'était pas déçu dans cette aspiration propre à l'enfance de voir dans le mystère un fait quotidien, puisque les livres tombaient dans sa vie aussi mira-culeusement qu'une manne et que leurs propos, beaucoup plus sages et infiniment mieux formulés que tout ce qu'il entendait ailleurs, lui firent croire que ce qu'il nommera la «part divine» de l'existence ne pouvait être transmise que par eux. C'est à la suite de ces soirées que Daniel, âgé de quatre ans à peine, apprit à lire.

Il apprit à lire avant même d'apprendre à parler...

## Daniel apprend à lire

Sophie enseigna la lecture à Daniel; elle le fit sans espoir de succès, parce que les longues soirées chez Lucien l'en-nuyaient, que l'unique habitant de la maison la déconcertait, l'a-musait en même temps, et paraissait tellement réceptif à ses propos qu'elle crut utiliser cette attention extrême de la manière la plus profitable, en souhaitant qu'un miracle vienne récom-penser ses peines. Elle ignorait que c'était ce que l'enfant désirait le plus au monde. Un dosage exceptionnel de patience téméraire chez la gardienne et de motivation forcenée chez l'en-fant fit qu'en un laps de temps remarquablement court l'enfant maîtrisa le rude exercice de la lecture.

Daniel lisait partout. Il avait toujours à sa portée un des trois ou quatre vieux livres que Sophie lui avait donnés, des livres blessés, infirmes, amputés de leurs meilleures pages, qu'il traînait immanquablement avec lui, qu'il appuyait contre son cœur ainsi que le font les autres enfants avec leurs ours en pe-luche, et les pages détachées par l'usure s'envolaient en feuilles mortes, prenaient vie hors du livre. On en retrouvait sous les meubles, les tapis, les coussins, dans les tiroirs. Ces livres devenaient d'autant plus précieux pour Daniel, qui en apprenait des pages par cœur, des passages sortis de leur contexte, qu'il superposait à d'autres. Ainsi naissaient de nouvelles histoires, dépouillées de sens et de logique, qui l'amenèrent à penser que chaque ouvrage était composé d'une série de récits miniatures dont la qualité n'avait pas forcément à voir avec l'impression première que lui avait donnée la lecture du livre originel.

Dès que Daniel sut lire, il apprit très vite à parler. Il sembla même posséder immédiatement un vocabulaire plus étendu que celui des autres enfants de son âge, truffé de mots inusités sortis tout droit des livres, d'expressions mal assimilées qui s'échappaient de sa bouche telles de frêles fleurs surgies d'un sol stérile. Daniel donnait l'impression de parler un autre langage, un langage qu'il avait inventé à partir des livres. Les premiers mots qu'il prononça furent des mots lus, incertains, qu'il ne parvenait pas à comprendre, par exemple «envoûtement», « citrouille», «métamorphose», des mots qu'il lut de travers, syllabe par syllabe, sans comprendre, et qu'il répéta machinalement, à voix haute pour commencer, puis doucement, pour lui-même.

Daniel ne parla d'abord que devant Sophie. Quand celle-ci apprit à Lucien que Daniel lisait et parlait, il refusa tout simplement de la croire. Mais lorsque son fils se laissa aller devant lui à ses premières phrases, il crut entendre l'appel d'un envoyé du ciel. Il s'était quasiment résolu, parce que cela était plus simple, à perdre tout espoir d'entendre un jour Daniel parler. Les paroles toutes nouvelles de son fils vinrent joyeusement briser sa résignation. Il assistait enfin à cette seconde naissance trop tôt anticipée, une naissance prodigieuse, puisque son fils sortait tout armé de la tête de Jupiter; il possédait déjà une langue si belle que Lucien, aveuglé par son orgueil de père, la jugeait supérieure à la sienne.

La perplexité de Lucien fut à son comble lorsqu'il découvrit que Daniel savait lire. Il put le constater lorsque Daniel lut un soir, seul dans sa chambre, une page perdue. Il la lut très bien, en imitant les accents et les intonations de Sophie, et il recommença plusieurs fois, comme s'il s'agissait d'un jeu. Lucien, qui s'était approché à pas de loup, sentit alors un violent coup à l'estomac. Il venait de constater une fois de plus à quel point son fils lui échappait, vivait sans lui, au-delà de lui, en esprit farouchement libre.

Daniel sursauta lorsqu'il sentit la présence de son père. À voir l'air hébété de Lucien, il crut comprendre qu'il avait commis un acte vaguement répréhensible. Il leva le visage, doucement, douloureusement, avec cet air de l'accusé innocent au moment de la sentence, ou ce regard des dernières secondes avant le coucher, avant que son père éteigne la lumière pour le plonger dans les ténèbres. Il tenait encore la page entre ses mains tremblantes et attendait, inquiet, un orage de joie ou de colère. Lucien restait silencieux, immobile. Il aurait dû, à ce moment, constater la gravité du geste de son enfant. Il aurait dû savoir que son fils, si jeune et déjà possédé par le vice de la lecture, risquait son âme, risquait de se perdre dans les livres comme il s'y était lui-même perdu, de s'enfoncer à mort dans les rêves préfabriqués, ainsi que dans un sable mouvant. Mais Lucien garda le silence. Puis il préféra oublier. Il oublia la seule règle sévère qu'il avait souhaité appliquer à l'éducation de son fils. Il préféra abandonner Daniel et le laisser sans contrainte — par pure étourderie —, à ses livres. Alors, lâchement, il se mit à rire; il éclata, soulagé, et se libéra pour de bon, par ce rire diabolique, de son rôle trop ardu d'éducateur.

Daniel, aujourd'hui, n'a pas oublié ce rire, tellement caractéristique de son père. Mais il le confond avec celui qui avait éclaté lors de son deuxième anniversaire, quand il avait lancé sur le mur le livre que son père lui avait donné; il le confond avec ce fameux rire d'ogre qui semble sortir d'un abîme dans sa mémoire, qui ne lui parvient maintenant que par de très faibles échos, de beaucoup plus loin que tout ce que peut lui ramener le souvenir, ce rire qu'il réentend toujours, pas sur commande, à l'improviste — au tournant d'une rue, ou entre deux lignes d'un livre, ou dans son lit, le soir avant de s'endormir —, et qui lui ramène avec force la présence de son papa adoré, monstre joyeux, ange dément, père cruellement insaisissable.

## Les équipées nocturnes

Lucien revenait fort tard de ses équipées nocturnes. Il revenait parfois avec des femmes d'une nuit qu'il rencontrait au Casablanca, des femmes qu'il avait connues à travers le prisme de l'alcool qu'il avait généreusement ingurgité depuis le début de la soirée. L'alcool euphorisait les rencontres, il rendait tout plus facile. Lucien pouvait se donner en toute simplicité à ces femmes aussi errantes que lui, avec l'impression de vivre une formidable aventure, impression fort agréable qui atteignait un comble au moment de l'orgasme. Puis, l'orgasme se retournait contre le couple. Tout se dissipait en même temps, les effets de l'alcool, le plaisir. Il ne restait plus rien le lendemain, sinon le souvenir de rêves désuets fragilement élaborés afin de justifier une jouissance médiocre de quelques secondes. Lucien et son amie de la nuit se regardaient alors tous les deux, comme s'ils se voyaient pour la première fois, mal à l'aise, honteux, mais heureux parce que le plaisir d'avoir séduit laissait des vestiges, et sachant qu'ils se retrouveraient peut-être plus tard, dans les mêmes conditions, réunis par les mêmes instincts.

Daniel se réveillait inévitablement à l'arrivée de Lucien. Il entendait dans son sommeil les sons avant-coureurs du retour de son père, bruit de pas dans les marches, léger cliquetis de la serrure, piétinements dans le hall d'entrée, signes à peine perceptibles, qui ne se confirmaient que par la voix de Lucien, aussi forte qu'en plein jour. Cette voix rassurait Daniel et contribuait, lorsque retombait le silence, à lui donner un sommeil plus lourd. Daniel attendait avant de se rendormir; il attendait que la voix de son père se soit tue, que le silence envahisse à nouveau la maison, que Lucien vienne entrebâiller la porte, laissant entrer un mince rai de lumière qui ciselait l'obscurité et passait sur le lit, sur le nez et les yeux de l'enfant, pour révéler son criminel état de veille. Lucien ne semblait rien remarquer et refermait aussitôt la porte. Son coup d'œil était vif, il devait l'assurer qu'on ne lui avait pas volé son fils. Lorsque Lucien recevait des invitées, Daniel ne se rendormait pas de sitôt. Il restait inquiet, et son inquiétude se justifiait quand il entendait des bruits de lutte, des râles qu'il avait du mal à situer au milieu d'étranges cauchemars, à moins qu'ils ne proviennent de lieux imperceptibles, enfers insoupçonnés entre le dessous de son lit et la chambre de son père. Ces cris mystérieux figeaient Daniel sous ses draps, ou le faisaient crier de toutes ses forces, saisi lui aussi, croyait-il, par une puissance pareille à celle qui se cachait. Lucien arrivait alors à la course, les yeux vides, les cheveux ébouriffés, avec un sourire tellement naïf et rassurant sur le visage que Daniel se rendormait aussitôt, avec la ferme conviction qu'il avait fait un mauvais rêve.

Malgré l'irresponsabilité de son père, Daniel l'aimait. Il l'aimait chaque jour un peu plus, en même temps qu'une véritable conscience croissait en lui, à tel point qu'aujourd'hui cet amour et les lointains souvenirs ne semblent faire qu'un. Il associe inévitablement les premiers moments d'une vie intérieure, confirmés par les souvenirs qu'il en garde, à cet amour démesuré qui a laissé depuis de profondes blessures, mal cicatrisées, toujours brûlantes la nuit. Lucien donnait à Daniel une impression de puissance. Il lui semblait avoir l'énergie d'un volcan en activité. Il voyait dans les explosions de son père quelque chose de vaguement cosmique; ses colères bousculaient un certain équilibre et son rire paraissait si sonore qu'il en résultait un tourbillon qui influait — on n'aurait su dire comment — sur l'environnement immédiat. Daniel tentait de happer ce tourbillon, pour s'en faire une arme et acquérir ainsi une infime partie des pouvoirs de son père. Daniel aurait pu craindre Lucien; il choisit de l'aimer. Il l'aima avec pudeur, avec un immense respect, subtilement, de cette façon particulière avec laquelle on doit aimer une personne exceptionnelle; il l'aima passionnément et en secret, comme si sa passion pouvait provoquer l'ire de Lucien et par conséquent sa propre perte. Daniel allait vers son père, partagé entre l'amour, la vénération et le désir de garder cachés ses sentiments envers lui. Il enfermait leur relation dans un *statu quo* à base de silence, afin ne pas rompre le fragile équilibre qui s'était établi entre eux deux. Mais croyant le préserver, il ne faisait que le détruire.

Sophie, par contre, détestait Lucien. Plus elle aimait le fils, moins elle aimait le père. Lucien devint rapidement pour elle le prototype du mauvais père, frivole, inconséquent, et le charme de Lucien, qui avait agi avec tant de force sur elle, se retourna contre lui. Elle ne retrouvait plus ce professeur qu'elle avait tant admiré et n'acceptait pas que derrière l'enseignant probe et érudit qu'elle avait connu se cache en vérité un homme sans fierté, un séducteur de bas étage, miné par l'alcool. Alors elle hérita des silences de Daniel, étrangement contagieux, et au retour de Lucien, vers le milieu de la nuit, elle fuyait la maison en fée hypocrite, laissant discrètement derrière elle une fraîche brise de turbulence, par cette influence qu'elle avait sur Daniel, par ces livres qu'elle lui prêtait et qui l'envoûtaient malicieusement .

## Daniel et le renard

Alors Daniel lisait. Il lisait comme il ne devrait pas être permis à cet âge de le faire. Il dévorait des contes de fées, ceux de Perrault et ceux des frères Grimm, bien sûr, ainsi que des histoires d'animaux parlants, et des contes et légendes de différents pays. Parmi tous ces récits qu'il parcourait sans relâche, il fut particulièrement marqué par le personnage du Renard. Il l'avait d'abord «connu» — Daniel avait l'impression de «faire connaissance» avec les personnages des histoires, de la même manière qu'on fait connaissance avec des personnages réels, par présentations ou heureuses coïncidences, qui aboutissent parfois à des amitiés que seules de profondes affinités réussissent à consolider — il connut le Renard, donc, par la fable *Le Renard et le Corbeau*, apprise par cœur au grand ravissement de sa gardienne, et qu'il peut encore réciter sans se tromper. Le Renard lui montra, à lui qui parlait à peine, la très grande puissance du verbe mielleux, faux, bien tourné, et, toute sa vie, derrière son silence, Daniel restera fasciné et envieux devant les beaux parleurs, les dandys du langage, cette caste terriblement privilégiée dont il se sentait d'emblée exclu, bien que son propre père, Lucien à la parole insatiable, en ait été un des plus hauts dignitaires. Le Renard disait: «Apprenez que tout flatteur vit aux dépens de celui qui l'écoute.» Daniel serait donc «celui qui écoute» mais, puisqu'il connaissait la leçon, il n'aurait pas à la payer d'un fromage. Le Renard de La Fontaine le mena tout naturellement à Renart le goupil, personnage étonnant qui contrastait vivement avec tous les autres personnages des contes: Renart était fourbe, rusé, menteur, maître trompeur, haï de tant de gens (cette série d'injures qui suivaient inévitablement son nom le parait des plus beaux atours ou d'un prestige égal à celui que lui auraient donné des titres de noblesse). Daniel se surprit à l'aimer, plus que les princes charmants ou les chiens fidèles; il se réjouissait chaque fois que Renart narguait ses victimes, Isengrin le loup, son frère Primaut, Tibert le chat, l'ours Brun, Chanteclerc le coq et Pinte la poule (encore ici, chacun de ces noms lui semblait aussi beaux que les défauts de Renart), et il était saisi d'un violent désir de changer l'histoire lorsque le goupil était berné à son tour. Maupertuis, l'imprenable repaire de Renart, à la fois château, forteresse et tanière, sombre abîme sous la racine d'un chêne et castel inabordable au sommet d'une colline, était la maison de Daniel, l'endroit où Lucien venait reprendre des forces pour affronter à nouveau un monde cruel qu'il dominait. Daniel lut et relut *Le Roman de Renart*. Il riait à chaque fois, s'émerveillait, mais les ruses et la malice du goupil, ratant leur cible, ne réussirent pas à pervertir l'imagination de Daniel; incapable d'en tirer profit, il se contentait de les emmagasiner dans sa mémoire, comme de vieux objets dans un grenier.

## Retour inattendu

Un matin, après une nuit sans rêves, Daniel, en se levant, crut sentir la présence d'une femme dans la cuisine. Il pensa qu'il s'agissait d'une de ces femmes de passage que Lucien lui présentait à l'occasion. Il eut la surprise de se retrouver nez à nez avec Mathilde. Mathilde était de retour! Daniel resta quelques secondes immobile, paralysé devant la jeune fille qui lui souriait, puis il éclata en sanglots étouffés. Alors Mathilde le prit dans ses bras, le serra contre son sein et lui parla doucement, jusqu'à ce qu'il arrête de pleurer.

Jamais elle ne l'avait traité ainsi. Daniel se tut, plus par surprise qu'en raison de la délicatesse de Mathilde. Il entrevit, à cet instant même, des changements majeurs dans sa vie. Il savait que si Mathilde était de retour, Sophie ne reviendrait plus le garder aussi souvent et il craignit une dure séparation. Il était tout de même heureux, malgré lui, de revoir Mathilde, une Mathilde nouvelle qui, lui semblait-il, n'avait gardé de l'ancienne que les plus belles qualités.

Lucien avait en effet repris avec Mathilde. Ils s'étaient revus, par hasard, encore une fois en raison de la proximité de leurs résidences, ils s'étaient parlé, longuement, ils avaient passé la soirée ensemble, puis la nuit, une nuit tellement tendre qu'ils en étaient arrivés à ne plus comprendre comment ils avaient pu si longtemps se passer l'un de l'autre. Leur bonheur rejaillit sur la vie de Daniel: Lucien ne sortait plus, Mathilde égayait la maison de sa présence. Il régnait chez eux une harmonie nouvelle, d'autant plus envoûtante que chacun en ressentait l'incommensurable fragilité. Sophie ne venait plus garder Daniel. L'enfant ressentit cruellement cette absence qui resta la seule entrave à son bonheur.

## Vie de famille

Cette nouvelle vie de famille fit que Lucien, plus que jamais, se rapprocha de sa sœur. En fait, il y eut un rapprochement entre les deux familles. On prit un plaisir nouveau à se réunir, chacune des familles constituant le double de l'autre. Les rapports étaient particulièrement agréables parce que chacun trouvait un interlocuteur équivalent et que chacun se voyait ainsi confirmé dans ses fonctions.

Le lien le plus fort restait celui qui unissait Lucien à Louise. Ce lien n'était pas attribuable uniquement à des affinités intellectuelles ou affectives, mais aussi à des affinités physiques: comme deux corps qui se font écho, qui prennent naissance l'un dans l'autre, Lucien et Louise formaient sans conteste le couple idéal. Leur beauté était aussi complémentaire que les figures d'un diptyque, et tout visage associé à l'un ou à l'autre n'obtiendrait jamais pareille correspondance dans l'harmonie des traits, des regards, des mouvements, équilibre fragile et capricieux qu'ils préservaient en gardant entre eux la distance d'amoureux à jamais épuisés de plaisirs. L'un et l'autre semblaient avoir sacrifié leur vie amoureuse à cet amour interdit. Lucien avait choisi le célibat, les amours courtes et passagères. Louise s'était mariée mais, de tous ses prétendants, telle Vénus épousant Vulcain, elle avait choisi le plus laid, un mari fidèle, affectueux et riche, qui lui donnait la sécurité matérielle et lui laissait le champ libre pour se vouer au grand amour de sa vie, cet enfant qu'elle s'était alors promis d'avoir et qu'Alexandre, avec son sens aigu de la théâtralité dans les relations familiales, incarnera à merveille, mieux que tout ce qu'elle avait espéré. Daniel imagine tout cela aujourd'hui, bien sûr, avec ce qu'il se rappelle de son père, de sa tante et de la véritable et solide amitié qui les unissait. Il imagine tout cela à cause d'un conte, lu à cette époque, et qui racontait une histoire semblable: un frère avait une sœur tellement belle, tellement parfaite, qu'elle en devenait insurpassable et que le jeune homme ne put se résoudre à prendre pour épouse une femme moins belle...

Cette période marqua le début d'une grande amitié entre Daniel et Alexandre. Le cousin, âgé de quatre ans à peine, faisait montre de beaucoup de talents: il dessinait, jouait du violon et lui aussi savait lire. Daniel fut séduit, comme tant d'autres avant lui, par le charme incontestable d'Alexandre: l'enfant avait tout des Amours des toiles baroques et son violon, avec lequel il touchait tout aussi efficacement les cœurs, remplaçait l'arc et les flèches; il jouait Mozart mieux que Mozart enfant lui-même, et les notes à la fin de la pièce venaient mourir sur son radieux sourire d'enfant comblé. Alexandre ressemblait à Lucien comme un véritable fils, par les traits, les gestes, par quelques accents dans la voix, aussi par certains signes loin de la simple évidence, par ce qu'on pourrait appeler une forte ascendance spirituelle. Alexandre restait pour plusieurs l'enfant que Lucien aurait aimé avoir. Lucien seul semblait incapable de le reconnaître. Il affichait bien fort sa téméraire préférence pour Daniel. Et il était tout à fait sincère. Il avait même l'impression que ses paroles étaient pour une fois parfaitement en accord avec le fond de sa pensée.

Alexandre prit l'initiative de cette amitié. Quand il apprit que Daniel parlait enfin, il l'accueillit comme un prêtre reçoit en son église une brebis égarée, avec une bonté teintée d'inquiétude, de méfiance, d'autorité. Daniel dut faire ses preuves; une conversation sur leurs lectures servit d'introduction à leur amitié. Cette amitié ne s'établit pas sur une base d'égalité, mais plutôt sur un rapport hiérarchique fort bien accepté de part et d'autre: Alexandre serait le maître et Daniel le disciple. Le disciple se confondait avec le maître, au point d'en perdre pour de bon la parole en présence d'autrui. Daniel ne s'exprimait plus que par la bouche et la volonté de son cousin; il avançait dans le sillon d'Alexandre, toujours quelques pas en arrière, dans l'ombre. Alexandre était un pare-chocs, un bouclier; il constituait l'indispensable liaison entre le monde clos de Daniel et la réalité, que Daniel affrontait ainsi par l'intermédiaire de son cousin, pour mieux la nier. Alexandre trouvait pour sa part en Daniel un indispensable interlocuteur, un admirateur discret qui lui renvoyait sans cesse l'image de sa propre valeur.

Daniel sait aujourd'hui qu'il n'aimait pas aller chez son cousin. Incapable de reconnaître à l'époque ce qu'il fallait prendre et laisser chez Alexandre, il l'avait pris tout d'un bloc et, encouragé par son père et sa tante, qui avaient, pense-t-il maintenant, créé cette amitié de toutes pièces, il se croyait heureux de fréquenter cette maison propre à l'atmosphère suave, dont la très forte stabilité était assurée par le respect scrupuleux des rôles de chacun dans la famille — père fournisseur, mère aimante et protectrice, enfant point de mire — structure rassurante que Daniel aurait le bonheur de retrouver partout, à différents degrés, avec certaines transpositions. Tout ceci ne s'appliquait pas à sa situation d'enfant qui vivait avec un père imprévisible, dans un lieu rempli de silence et de mystères. Daniel sentait que, chez Alexandre, toute chose avait une nature rigide et astreignante, ce qui était propre à ces milieux où chaque objet correspond bel et bien au nom qu'il porte. Chez Alexandre, Daniel subissait le poids de la famille, qui était celui d'une oppressante immédiateté. Il ressentait, à la suite d'une répulsion mutuelle, à quel point il avait échappé et échapperait encore à tout cela.

# Chapitre 3

## L'école

Le retour de Mathilde coïncida avec les débuts de Daniel à l'école. Cet événement eut d'ailleurs, à sa grande surprise, beaucoup plus d'importance pour lui que le retour de l'ancienne maîtresse. Tout commença un beau matin de septembre. Lucien éveilla Daniel en lui annonçant joyeusement qu'il allait le reconduire à «l'école». Ce mot n'était pas nouveau pour Daniel, mais il semblait devoir prendre, ce matin-là, une signification particulière et immédiate. Lucien revêtit Daniel de ses plus beaux vêtements; il le prit par la main et ils marchèrent comme ils l'avaient toujours fait, dans la direction de la maison de la voisine. Devant elle, Lucien ne s'arrêta pas; il ne la regarda même pas. Daniel se dit, incrédule, que l'école le libérerait des jours affreux qu'il avait passés chez la grosse dame. Lucien continua encore, jusqu'à un édifice imposant cerné par une cour grouillante d'enfants. Il affirma alors: «Voici l'école.» Daniel la voyait enfin, cette école dont il avait tellement entendu parler et qui correspondait à ce qu'il avait imaginé. L'école avait d'abord été à ses yeux une pure abstraction, une valeur morale, ou un phénomène aussi impalpable que le vent, quelque chose qui échappait à toute forme de figuration. Peu à peu, elle prit forme, elle prit chair même, en une femme implacable, très savante, une sorte de super-Sophie qui le sortirait à jamais de son ignorance, au prix d'efforts assidus et de contrôles sévères. Enfin, à la suite des explications d'Alexandre, elle devint cette solide et immense maison de briques, peuplée de professeurs et d'enfants de tous âges, édifice à l'allure anodine où cependant se jouerait son avenir.

Daniel fut cruellement abandonné par Lucien aux enfants de la cour, à cette meute de jeunes loups qui criaient et se bousculaient sans cesse. Leur énergie débordante, contraire à l'immobilité craintive de Daniel, semblait inépuisable: la grande cour d'asphalte était agitée par un immense et dévorant tourbillon, qui naissait de la clameur perpétuelle et des jambes des enfants toujours en action. Les enfants soulevaient la poussière, volaient, roulaient sur le sol dans un anarchique mouvement de bas en haut, de haut en bas; leurs corps n'en formaient en réalité qu'un seul, celui d'une hydre à mille têtes, insaisissables, grimaçantes. Daniel pensait très rapidement, comme dans un rêve apparemment interminable qui pourtant n'occupe que quelques minutes de sommeil; il s'étonnait de constater que sa capacité d'adaptation, telle celle d'un mauvais caméléon, l'entraînait non pas à suivre les enfants, mais à réfléchir à toute vitesse, comme eux agissaient. Il découvrit enfin les coins de la cour peu peuplés, sinon par des solitaires pareils à lui. Il s'y réfugia non sans un certain soulagement, soufflant un peu, et put s'adonner calmement à son désespoir.

Il fut sauvé par Alexandre. Il le vit arriver, longeant la clôture, avec sa mère resplendissante, lui-même éblouissant dans un bel habit neuf. Daniel courut à leur rencontre, comme s'il avait été abandonné sur une île sauvage depuis des jours. Il aurait voulu embrasser sa tante et son cousin, partir très loin avec eux et oublier ce lieu cauchemardesque, mais la tante, insensible, les abandonna à son tour — horrible conspiration, pensa Daniel. Il aurait certainement sombré dans le plus ténébreux des découragements s'il n'avait perçu, dans les yeux de son cousin, cette même lueur de désespoir qui était la sienne, lors de son arrivée dans la cour. Alors il se montra fort et rassurant, jouant très mal l'aisance, sans le savoir, jusqu'à ce qu'Alexandre, piqué, se ressaisisse et reprenne son véritable rôle de tuteur.

La cloche sonna et tous les enfants s'engouffrèrent dans l'édifice. Daniel découvrit la classe et s'y sentit beaucoup plus à l'aise. La classe était chaude et calme, les enfants dociles. Lui-même respirait mieux, avec Alexandre tout près de lui, prêt à intervenir au moindre danger, et le silence régnait, tellement nécessaire après le chaos de la cour. Une dame prit la parole. Daniel comprit que cette femme était la mystérieuse «école» qu'il avait d'abord imaginée, ou encore une «voisine» gentille et polie, qui possédait le même horrible droit de punir. Elle parlait doucement et Daniel aima sa voix. Il l'aima au point de ne plus en saisir les paroles, de n'y entendre qu'un heureux bourdonnement légèrement soporifique, hypnotique plutôt, puisqu'il provoquait, au lieu du sommeil, un engourdissement de l'esprit, lui faisant perdre la notion du temps et le contact avec les autres élèves qui se tortillaient sur leurs chaises, dévorés par l'envie de sortir...

## La bibliothèque

L'année suivante, Sophie fit découvrir à Daniel la bibliothèque. Le paradis, selon Daniel! Il avait devant lui une pièce remplie de livres de toutes sortes, qui s'offraient à lui, racoleurs, sur les rayons. Jamais il n'en avait vu autant à la fois! Il butina d'un livre à l'autre, incapable de s'arrêter sur un volume en particulier. Il en touchait un, l'ouvrait avec amour, le refermait rapidement en pensant à tous les autres dont il se privait, ou parce que, en levant la tête, il en avait vu un autre plus intéressant, qu'il abandonnait aussitôt pour un troisième, encore meilleur. Sophie eut toutes les peines du monde à l'en faire sortir et, quand elle y réussit, Daniel avait les bras remplis. Ils marchèrent alors dans la rue, Daniel chargé comme un âne et Sophie légère, trop légère puisqu'il ne la reverrait plus jamais par la suite. Sophie, qui avait continué ses visites à Daniel malgré le retour de Mathilde, et qui était sérieusement attachée à l'enfant, disparut ainsi ce jour-là, sans laisser de traces, sans avertir. Daniel n'eut même pas le bonheur de la pleurer puisque, assuré de la revoir, il l'attendit sans inquiétude, expliquant ses absences par quelque voyage ou maladie. Puis, las de compter sur son retour, il l'oublia, il oublia son visage, son sourire, ses gestes, et aujourd'hui, avec de maigres données comme les lunettes rondes et les cheveux noirs remontés à la nuque, il essaie de reconstituer son visage, en espérant pouvoir la reconnaître dans la rue, aussi jeune, aussi belle et sage. Leur rencontre serait idéalement celle de deux amoureux séparés par la mauvaise fortune. Mais au lieu de parler d'amour, Daniel pourrait aborder le seul sujet qui l'intéresse vraiment, son passé revu par le plus important des témoins de son enfance.

## L'art et l'alcool

Quelque temps après, Mathilde quitta à son tour la maison. Cette fois, il n'y eut pas de dispute, pas de scène bruyante. Mais, de part et d'autre, un affligeant constat d'échec. Malgré leurs efforts à tous les deux, malgré leur sincérité et leur bonne volonté, Lucien et Mathilde durent admettre, en adultes aigris et désillusionnés, qu'ils n'étaient pas destinés l'un à l'autre. Leur longue réconciliation n'avait fait que confirmer ce qu'ils avaient craint dès le départ. Ils se séparèrent avec le sourire, avec une grande tristesse derrière ce sourire, heureux d'avoir poussé l'expérience jusqu'au bout et de n'avoir rien laissé en suspens. Mathilde s'en relèverait facilement, pensait Lucien: encore toute jeune, elle gardait un splendide avenir d'amoureuse devant elle. Mais, pour Lucien, cette séparation douce et amère se superposait aux échecs antérieurs et il craignait que cette série d'échecs, ainsi qu'une suite de secousses qui réussissent à ébranler les fondements d'un édifice, en viennent à agir sur lui à long terme, à l'affecter de plus en plus avec le temps.

Afin de contrer l'ennui et de donner de l'intérêt à sa nouvelle vie sans Mathilde, Lucien avait fait l'apprentissage de la peinture. Pour Lucien, bâti en athlète, la peinture devenait un sport. Il avait transformé son salon en atelier-gymnase, recouvert le plancher et les meubles de vieux journaux, étendu pots de peinture et pinceaux sur le plancher; au centre de la pièce, comme une cible, il installait la toile. Alors, il explosait. Saisi de rage, il criait à perdre l'âme, et à chaque cri il transperçait la toile de couleurs à l'image de sa rage, rouge, orange, mauve, violet. Les couleurs éclataient, propulsées par le pinceau, rebondissaient pêle-mêle en de multicolores voies lactées, et chacun des cris transperçait le silence, le déchirait, heurtait jusqu'au cœur Daniel enfermé dans sa chambre, qui pleurait comme une femme fidèle pleure son mari transformé en loup-garou. Lucien ne se lassait pas; il bavait sur la toile, avec passion, sans réfléchir le moins du monde, et la toile débordait sur le plancher, sur les meubles, sur le peintre lui-même, s'agrandissait jusqu'à ce que l'artiste fourbu daigne en regarder le résultat; la toile gisait telle une dépouille, laide, mais d'une laideur fondamentale, que Lucien qualifiait de «métaphysique», tant elle se rapprochait, disait-il fièrement, de l'idée purement abstraite qu'il se faisait de l'absolu de la laideur. Une deuxième crise s'emparait alors de l'artiste, une rage de destruction cette fois, qui le saisissait avec autant de ferveur que la fièvre créatrice, et de la toile il ne restait plus quelques instants après que de bien tristes lambeaux. Puis Lucien, libre, aussi heureux qu'un moine après une extase, allait retrouver Daniel qui cachait mal son soulagement. Lucien le mettait alors au lit, lui donnait une bise et lui racontait une histoire. La peur qu'avait éprouvée Daniel se calmait avec l'apparition de son père; il apprit à aimer cette peur, à l'entrevoir sans appréhension, puisqu'elle éloignait les autres peurs, les vraies, celles qu'il ne pouvait justifier, parce que sans cause, et donc beaucoup plus terribles dans sa hiérarchie des peurs. Une fois son père auprès de lui, comme s'il avait fait lui-même un très grand effort, il se sentait plein d'une si heureuse lassitude qu'il n'avait plus la force de penser et qu'il s'endormait avant la fin des mornes histoires que son père lui racontait.

Lucien recommença aussi à sortir. Il engagea une nouvelle gardienne que Daniel détesta au premier coup d'œil, une jeune fille à l'opposé de Sophie, terne et taciturne, au visage impassible, et dont le nez légèrement retroussé laissait voir de disgracieuses narines; la voix de cette jeune fille, lente et molle, un insupportable bourdonnement, venait tout droit de ces narines. Lucien apprit à Daniel que ce défaut d'élocution venait d'une mystérieuse maladie — Daniel s'empressa d'en oublier le nom —, qui l'avait atteinte dans sa prime jeunesse et qui pouvait frapper n'importe qui, eux-mêmes peut-être, Daniel et Lucien. Daniel associa la gardienne et la maladie à un seul et même mystère et, pas curieux le moins du monde, il voulut éviter le plus possible sa nouvelle compagne qui, en dépit de l'inévitable malaise que causait ce type de rapports, aimait ces soirées, si calmes qu'elle se croyait chez elle, sans enfant. Après un certain temps, Lucien la congédia. Il jugeait Daniel bien assez grand pour se garder lui-même. Mais il ignorait que lorsqu'il sortait, il laissait son enfant seul avec les angoisses les plus variées et les plus dévorantes.

Lucien rentrait toujours considérablement ivre. Il délaissait de plus en plus le Casablanca pour une sinistre taverne des environs, qu'il fréquentait avec des amis de rencontre ou de vieilles connaissances qui s'abandonnaient comme lui aux plaisirs de la nuit. Lucien ne cherchait plus nécessairement la compagnie d'amantes; il sortait pour boire, pour revoir sa vie à travers le prisme rassurant de l'alcool et des drogues douces. Il revenait à la maison fort tard. Il lui arrivait d'entrer en chancelant dans la chambre de Daniel, ouvrant brusquement toutes les lumières de la chambre. L'enfant alors sursautait; il en avait les yeux déchirés, et il s'inquiéta les premières fois d'une catastrophe imminente. Mais son père s'assoyait tout simplement sur le lit. Il se dégageait de sa bouche une odeur fétide de vieil alcool et de ses vêtements émanaient les relents d'une fumée jaune, étouffante, infecte, l'odeur de toutes les cigarettes fumées le soir même dans la taverne. Lucien tâchait parfois d'embrasser Daniel qui fermait les yeux, serrait les lèvres et ne bougeait pas. Inévitablement, l'ivrogne commençait à parler. Il parlait de tout, de ses journées à l'école, de Mathilde, de ses autres amantes et amies, de Daniel surtout. Il évoquait les souvenirs les plus divers qui les concernaient, ne cachait rien, parlait de Daniel à certaines occasions comme s'il avait parlé à un étranger, en termes pas toujours élogieux, avec la conviction étrange que Daniel ne comprenait pas ce qu'il disait. Daniel ne comprenait pas, en effet. Mais ces phrases, il les gardait dans la tête, et elles s'élucidaient plus tard, parfois la journée même, parfois quelques années après. Ces phrases et les autres, bien souvent tronquées, déformées par le souvenir, restent pour Daniel les plus précieuses données sur les pensées véritables de son père et les éléments les plus révélateurs de sa personnalité à l'époque. Grâce à ces visites nocturnes, croit-il, il a un aperçu relativement juste de la vie intérieure de Lucien.

Un soir, Lucien expliqua à Daniel que l'alcool lui faisait percevoir le monde comme s'il se plaçait derrière une vitre. En état d'ivresse, disait-il, il n'avait plus de contacts réels avec les gens: il les voyait comme un enfant regarde des jouets dans une vitrine. Il pouvait se permettre de dire n'importe quoi parce qu'il avait l'impression que personne ne l'entendait, ou que les mots derrière la vitre arrivaient en différé, transformés, à un tel point que tout ce qui s'échappait de sa bouche offrait une si grande marge d'interprétation que plus rien ne restait valable. Paradoxalement, cela lui permettait de glisser sans contrainte les plus pénétrantes vérités. Il offrit à Daniel de se placer lui aussi derrière une vitre, afin de constater, à son tour, le phénomène. Il lui montra le goulot d'une petite bouteille qui dégageait la même affreuse odeur que son haleine et il l'incita à boire. Comme Daniel refusait, Lucien s'empara de l'enfant, qui se débattit comme un enragé, et il lui versa dans la bouche une bonne lampée du liquide. Daniel, horrifié, le recracha aussitôt, pendant que son père, secoué par des convulsions, hurlait de rire. Daniel eut la crainte de voir un diable monstrueux s'emparer de Lucien. Mais celui-ci se laissa aller ensuite à de telles démonstrations d'affection que l'enfant, agressé une seconde fois, ne put que l'excuser, tout en souhaitant que l'ivrogne quitte les lieux le plus tôt possible.

Pourtant, Daniel aimait le plus souvent ces irruptions de Lucien au beau milieu de son sommeil. Il avait lui aussi l'impression d'avoir une vision différée, puisque ces visites se confondaient inévitablement avec ses rêves et qu'il se demandait le matin, quand il revoyait son père calme, abattu mais souriant tout de même, s'il n'avait pas imaginé tout cela. Ils vivaient ainsi, l'un sous l'effet de l'alcool, l'autre sous l'effet du sommeil interrompu, une secrète connivence, niée ouvertement le jour, mais qui les liait, comme les complices d'un crime, à des mystères terribles, oubliés quand ils cherchaient à en parler.

Quand Lucien parvint à une meilleure maîtrise de la peinture, il laissa, lorsqu'il sortait, un peu de lui-même à la maison, sur les murs, par quelques-unes de ses toiles qu'il avait osé suspendre, des toiles médiocres, faites avec beaucoup plus de passion que d'art. Daniel considérait que ces toiles maintenant lumineuses d'un Lucien deuxième période, tout en jaune, rouge vif, bleu ciel, qui pouvaient vaguement ressembler à des Jackson Pollock sans âme et sans art, restaient la représentation abstraite du rire de Lucien; choquantes, éclatantes, d'un manque de goût évident, elles portaient la joie de leur maladresse, comme un bel enfant qui sourit après un mauvais coup. Daniel avait apprivoisé ces toiles; il en vint à les aimer plus que des chefs-d'œuvre, ainsi qu'on en vient à apprécier, dans une pièce de musique jouée par une personne qui nous est chère, les fausses notes, les erreurs de rythme autant que les passages réussis. Daniel, qui jugeait incontrôlables les allées et venues de son père, n'était jamais assuré d'une présence régulière de Lucien à la maison et, s'il essayait de profiter le plus possible de Lucien lorsqu'il restait disponible, il pouvait bénéficier, avec ses tableaux, d'une présence qui ramenait le rire et l'œil de son père. Cet œil vigilant, brillant et vif pouvait juger les actions répréhensibles de Daniel. Il était surtout très bon et s'amusait beaucoup plus qu'il ne réprimandait.

## Succès éphémère de Daniel

À ses débuts à l'école, Daniel surprit tout le monde en se classant premier, avec une bonne avance sur Alexandre. Daniel savait lire, ce qui n'était pas nécessairement fréquent à son âge, mais en dépit de cet atout majeur et de son attitude résolument sérieuse, on avait toujours refusé de lui accorder le statut d'enfant doué, probablement à cause de ses absences, de son incorrigible distraction, de ce manque flagrant de vivacité d'esprit que tous remarquaient, et parce que son obstination à ne pas vouloir plaire se rapprochait de la bêtise, chaque enfant comprenant d'instinct les immenses avantages qu'il y a à charmer un adulte ou qui que ce soit. On crut à un accident, à un heureux hasard. Lucien s'en amusa beaucoup, fier de son poulain, incrédule lui aussi.

Pourtant, cela s'expliquait facilement. C'est que, si la voix de la maîtresse était particulièrement soporifique, elle pouvait aussi se montrer menaçante. Ainsi avait-elle surpris Daniel au beau milieu de ses rêves, pendant les premiers jours de classe, à diverses occasions, et l'avait-elle brusquement rappelé à l'ordre. Les autres élèves avaient ri et Daniel, qui cherchait comme un forcené à ne pas se faire remarquer, s'en était senti particulièrement humilié. Il s'était cru protégé par un confortable anonymat, assuré par des rangées de pupitres tous semblables et par des chaises identiques sur lesquelles prenaient place des enfants tout aussi identiques. La voix si belle de l'institutrice s'était transformée en une terrible épée de Damoclès: elle le menaçait à ses moindres moments d'inattention. Daniel craignait tellement que cette voix tonne à nouveau sur lui qu'il porta par la suite une attention démesurée à la moindre phrase prononcée et qu'il suivit les cours comme si sa vie en dépendait, assimilant la matière malgré lui, par instinct de conservation.

De tous, le plus surpris de ce résultat fut certainement Alexandre. Il souffrit de sa défaite, de son impuissance à changer son passé, qui le poursuivrait toujours, indélébile, et lui ramènerait à jamais cette cruelle aberration: Daniel l'avait un jour battu! Louise avait beau lui expliquer l'aspect accidentel de la chose, il resta inconsolable jusqu'au jour où il décida de régler lui-même le problème. Il s'entretint avec Daniel en tête à tête, lui démontra clairement une indubitable erreur dans les bulletins, ajouta que Daniel ne pourrait jamais le surpasser à l'école, à cause de son caractère lunatique, peu ambitieux et — il fallait le dire — légèrement attardé. Il ne devait donc pas dépenser trop d'énergie à travailler et à étudier, puisque cela ne donnerait rien, étant donné ses limites. Daniel accepta ces explications. Lui-même n'avait guère cru que les petits exercices accomplis selon la volonté de la maîtresse avaient pu le catapulter au-delà de tous les élèves, au-delà d'Alexandre surtout. Il se réjouit d'apprendre que les limites de son esprit le dispensaient de lutter pour une première place qu'il n'obtiendrait plus. Il se laissa donc à nouveau bercer par la voix de son professeur, n'étant plus attentif qu'aux qualités plastiques et hypnotiques de cette voix, évitant obsessivement maintenant d'en rien laisser paraître. L'ordre des choses se rétablit: Alexandre prit fièrement la tête de la classe, tandis que Daniel glissa lentement mais sûrement vers le centre.

## La profession de foi du prêtre campagnard

Parmi les matières étudiées en classe, Daniel fut particulièrement intrigué par les cours de religion. Il s'était déjà penché sur toutes les questions débattues pendant le cours, et cela depuis qu'il avait la possibilité intellectuelle de le faire. Il n'avait rien retiré de ces réflexions, sinon une horrible et obsédante angoisse qu'il fuyait comme il pouvait. Mais voilà qu'on proposait en réponse à tout un nouvel élément, un être nommé Dieu, doté des mêmes attributs que les facteurs de ses angoisses

— éternel, infini, inexplicable — et auquel il fallait croire aveuglément.

L'enfant alla demander des explications à son père. En mauvais apprenti philosophe, il s'attendait à un type bien précis d'explication, une réponse sèche et évasive, qui énoncerait la plus forte des vérités, la vérité paternelle. Il pourrait se raccrocher à cette rapide formule comme à une bouée de sauvetage. Lucien avait justement l'art de mettre fin aux conflits internes les plus déchirants par de simples phrases nonchalantes, esquissées d'un sourire, si pleines de sagesse qu'elles rendaient ridicules les plus terribles émois. Pourtant, après avoir demandé les explications, Daniel sentit qu'il avait touché chez Lucien un point sensible. Il regretta amèrement ses paroles et désespéra d'avoir le type de réponses qu'il avait escompté. Lucien regardait à la fenêtre la rue silencieuse baignée de soleil, non pas inquiet ou se défilant, mais avec cet air que Daniel détestait, celui d'un politicien ou d'un avocat rassemblant ses idées en vue d'un long discours. Lucien avait prévu le coup depuis longtemps, Daniel en était sûr, ne serait-ce que par son attitude de défi, qui irritait l'enfant parce que toute cette mise en scène donnait de l'importance aux questions qu'il se posait, alors qu'il aurait voulu que Lucien les lui renvoie du revers de la main.

Lucien, majestueux, expliqua qu'il ne pouvait rien expliquer, qu'il ne pouvait parler de ce qu'il ne connaissait pas. Il voulait que Daniel reste libre de croire en tout ce qu'il voulait, aux pires sottises, aux systèmes philosophiques les plus complexes, qu'il collectionne les doctrines et les explications générales comme d'autres collectionnent les timbres et les papillons. Il voulait que l'esprit de Daniel, en miroir déformant de toutes les idées modernes, soit ainsi mû par l'hédonisme superficiel de celui qui a goûté à tous les vins. Quant à ce qu'il croyait, lui (Lucien lui recommanda de croire sincèrement à ce qu'il dirait, mais pas plus qu'à tout ce qu'il entendrait par la suite au cours de sa vie), il le tenait d'un vieux prêtre campagnard à la retraite, qui hantait jour et nuit les corridors du collège qu'il avait fréquenté. De cet homme solitaire et enfoncé

dans la mort, Lucien avait cru illusoirement tirer quelques
éclaircissements sur certaines questions, celles-là même que
Daniel se posait. Lucien l'avait abordé. Cela avait été pour le
vieux un retour à la vie, à la vie d'il y avait déjà plusieurs
années, quand la dernière grande guerre n'était pas encore
terminée. Il s'inquiétait, disait-il, du sort de l'humanité et du
monde libre, du monde chrétien surtout, des églises, des fidèles,
menacés, sans défense face à ce monstre allemand, pourtant
créature de Dieu, le plus méchant parmi les hommes. Ce
dictateur n'était tout de même qu'un monstre parmi les
monstres. Il fallait l'associer à tous les autres monstres de l'histoire, aussi aux catastrophes, aux fléaux les plus divers — il en
avait énuméré tellement que Lucien jugea inutile de les nommer
— comme d'innombrables représentations du mal qui peut
surgir de partout, y compris de l'âme des chrétiens les plus purs.
Tout cela s'accumulait en une quantité de preuves de l'impuissance de Dieu, qu'il adorait tout de même, bien humblement et
sincèrement, avec un fond de pitié pour ce pauvre Dieu, créateur
aussi merveilleux et maladroit que les créateurs humains,
écrivains, inventeurs, poètes, compositeurs. Ce monde, pourtant
conçu par lui, échappait à son contrôle à l'en faire souffrir, à ce
point qu'il en était venu à se croire obligé d'envoyer un fils,
malheureux à son tour, mort pour une humanité qui l'a si mal
compris. Aussi priait-il pour que ce Dieu malhabile daigne tout
de même se souvenir de lui à la fin de ses jours, il invoquait les
saints et la Vierge Marie; accomplissait son devoir religieux,
espérant gagner un paradis moins misérable que la vie sur cette
terre, et avoir accès, de loin, puisque Dieu promettait une vie
éternelle en sa présence, à ce qu'il nommait l'univers des dieux.
En effet, continuait-il, il fallait bel et bien adorer le Dieu unique
créateur de la vie et du cosmos, mais il existait, au-delà de notre
monde, un univers des dieux rempli d'êtres suprêmes dont
certains, comme celui qu'il adorait, étaient créateurs d'univers
(chacun de ces univers n'ayant, selon toute probabilité,
strictement rien à voir avec les autres). Ces Dieux adoraient eux
aussi un Super-Dieu dont ils ne connaissaient rien, ce Dieu

vivant dans un autre univers dont il ignorait les limites. Et ce schéma se répétait, mis en abyme dans un monde qui englobait le nôtre, où des infinis emboîtés en formaient un autre, titanesque, qui n'aurait jamais de nom.

Le vieux avait parlé, monologué, en fixant le mur derrière Lucien, il avait parlé tel un homme enfermé et bâillonné depuis très longtemps, à qui l'on aurait enfin donné la parole. Les phrases s'étaient bousculées. Il avait laissé échapper malgré lui et pour lui-même ce discours à la limite de l'insensé, intarissable, excluant toute intervention. Lorsqu'il se tut, il reprit son masque et n'eut plus aucun commerce avec qui que ce soit, sinon avec la mort qui tardait à venir, sûrement en représailles pour avoir si peu cru en elle. Lucien avertit encore Daniel que cette étrange profession de foi qu'il venait de lui transmettre ne devait pas être comprise comme une règle de sentiments à suivre en matière de religion, mais comme une vérité brute à laquelle il adhérait lui-même, aussi imparfaitement que possible. Daniel ne pensa rien de tout cela; il préféra pleurer.

## Histoires merveilleuses

Daniel fit appel aux livres pour éclaircir les diverses questions théologiques qu'il se posait encore. À l'école, on enseignait la vie de Jésus. Il ne put y prendre intérêt parce que les paroles et gestes de Jésus restèrent associés dans son esprit à l'odeur de l'école et se confondaient avec monotonie aux leçons récitées. Cette vie prodigieuse, apprise de force comme toute leçon austère, mise sur un pied d'égalité avec les mathématiques et la grammaire, était contaminée par l'ennui ambiant. Daniel était désolé de voir le Christ devenir propriété publique, de le savoir entre les mains de tous les enfants de la classe, au point qu'il n'y avait aucun mérite à le connaître, qu'il ne pouvait le laisser entrer dans son monde intérieur sans penser que n'importe lequel de ses camarades, qui n'avaient rien senti ou rien compris à la beauté certaine du personnage, pouvait en faire autant, et rendre ainsi vulgaire sa propre fascination. Daniel abandonna donc Jésus pour les saints. Il fut guidé dans sa quête par les livres de la bibliothèque, qui le menèrent tout naturellement à des saints nouveaux aux vies plus qu'exemplaires: Vincent de Paul, Jean Bosco, Bernadette Soubirous, le curé d'Ars, sans oublier le pas-encore-saint Charles de Foucauld, brillant aventurier du désert, dont la conversion inattendue et les pacifiques croisades auprès des Berbères n'en restaient pas moins dignes de la reconnaissance divine. Daniel était cependant habitué à des récits hauts en couleur et il lui aurait été difficile d'admettre que ces histoires bien nobles aient pu soutenir la comparaison avec les divers récits d'aventures qu'il avait lus en si grande quantité. Il se réconcilia avec les saints lorsqu'il tomba par hasard sur un exemplaire de *La Légende dorée* de Jacques de Voragine. Le livre en question, s'adressant aux enfants, offrait évidemment un condensé de l'œuvre intégrale. Il en restait un ouvrage gigantesque, un véritable trésor, selon Daniel, un livre intarissable déployant ses merveilles à pleines pages: l'enfant y voyait des illustrations naïves teintées de bleu et d'or, des caractères d'imprimerie pseudo-gothiques qu'il admirait sans même les lire, de superbes enluminures, tout à fait dans le style — apprendra-t-il plus tard — de celles des vieux manuscrits des moines; on y racontait des vies héroïques, troublantes, histoires abracadabrantes qui se comparaient à ce que Daniel avait lu de meilleur. L'enfant trimbalait partout, comme un coffret précieux, ce livre énorme et, pour le lire, il devait l'installer avec peine sur une table. Il l'ouvrait le cœur battant, sûr de tomber sur une page nouvelle, qu'il n'avait pas encore lue, car il avait cette intime conviction que le livre se renouvelait de lui-même pendant la nuit. Dans un seul livre, Daniel pouvait lire plus de cent vies de saints! Des saints aux noms quelconques, les mêmes que ceux de ses camarades, avec lesquels il essayait d'établir d'étranges rapprochements, des saints aux noms rares, fascinants, Prospocime, Mellon, Chrysogone, Barlaam, Radegonde, Pancrace, Pétronille. Il répétait ces noms comme des chansons, il les disait

à son père, qui s'en amusait beaucoup, il les déformait ensuite
pour lui-même, afin de les rendre encore plus biscornus. Les
légendes elles-mêmes paraissaient inépuisables. En un seul
paragraphe, un saint vivait les aventures les plus invraisemblables; sans prémices ni introduction, le saint pouvait être mis
à la torture, résister à Satan, faire des centaines de conversions.
Il menait dix vies en une seule et sa mise à mort, forcément
atroce, accomplissement suprême du saint, semblait encore plus
longue que sa vie. Le saint mourait confiant en son salut; il
disparaissait victime des supplices les plus monstrueux. Dans
*La Légende dorée,* les saints étaient généreux au point d'offir à
Daniel les histoires les plus riches en développements divers
qu'il ait jamais lues. Cruel comme tous les enfants, Daniel aima
les scènes d'une rare violence; il trouvait à la fois drôle et
dégoûtant ce qui ne pouvait absolument pas, selon lui, se
produire dans la réalité: blasphémateurs à la langue rongée de
vers, saint Jean plongé dans l'eau bouillante, Nicée survivant
aux flammes puis décapitée, les Quatre Couronnés frappés
jusqu'à mort de fouets armés de boules de plomb, et saint
Sébastien, encore bien présent dans sa mémoire aujourd'hui, à
cause de cette horrible illustration, plus criante de vérité que les
photos des petits journaux, saint Sébastien empli de flèches
comme un hérisson, qui survécut tout de même à sa condamna-
tion et réprimanda à nouveau l'empereur, avant d'être battu à
mort et jeté aux égouts. Parmi les drames plus intimes, moins
durs, Daniel pleura à l'histoire du lion de saint Jérôme, injus-
tement accusé d'avoir mangé un âne, et aussi à celle de sainte
Marguerite, accusée et condamnée — à cause d'un traves-
tissement — d'avoir fait un enfant à une vierge! Daniel essaie
aujourd'hui de retrouver ce précieux livre, cet exemplaire
unique de *La Légende dorée,* mais il n'y parvient pas. Le livre a
disparu, abandonné comme un vieillard, probablement. Daniel
aimerait porter le deuil, car aucune autre version de *La Légende
dorée* n'existe à ses yeux.

Daniel aima dans *La Légende dorée* que Dieu intervienne
directement auprès des hommes, ce qui ne laissait aucun doute,

supposait-il, quant à son existence. Il se réjouit de tomber par la suite sur des récits tirés de la Bible. Il voyait en eux une suite logique à ses lectures de vies de saints, même s'il allait de cette manière à l'encontre de la chronologie. Ces récits racontaient l'histoire du peuple choisi de Dieu, par conséquent d'un peuple auprès de qui Dieu n'hésitait pas à se manifester, de toutes les manières, par des rêves, par de simples dialogues (comme si Dieu n'était qu'un monarque parmi d'autres dialoguant avec ses princes), ou par d'épouvantables cataclysmes. Dieu se montrait cruel et vengeur: il protégeait fort mal un peuple ingrat. Il avait tiré du néant le ciel et la terre, puis les animaux, et enfin, de la boue, l'homme et la femme. Il avait donné un paradis à Adam et Ève, s'était empressé de le leur enlever, après leur avoir demandé l'impossible, et depuis ce temps — explication irréfutable — l'être humain vivait dans la misère, qui s'était retransmise jusqu'à Daniel, et qui se perpétuera probablement jusqu'à la fin des temps. Ainsi, les malheurs de Daniel — ses peurs la nuit, l'hostilité de tous ceux qui n'étaient pas son père, son incapacité à assouvir ses innombrables désirs — ne résultaient pas d'événements reliés bien concrètement à la vie de tous les jours, mais découlaient d'une faute qui remontait à la nuit des temps, au tout premier homme, à la toute première femme. Daniel sut dès lors qu'il était victime de malheurs irrémédiables, ce qui l'attrista puisqu'il se vit privé à jamais de bonheur, et en même temps le soulagea, puisqu'il n'aurait plus à se battre et à s'épuiser pour un bonheur inaccessible. Daniel lut ensuite sur la vie des descendants d'Adam et d'Ève, qui n'avaient su garder du paradis qu'une longévité exceptionnelle: Adam lui-même vécut neuf cents ans, Noé neuf cent cinquante, Mathusalem neuf cent soixante-neuf ans, puis tout dégringola radicalement et pour de bon avec Abraham qui mourut en comparaison dans la fleur de sa jeunesse, âgé de cent soixante-quinze ans seulement. Cette extraordinaire longévité fit rêver Daniel: il voyait en elle un compromis à souhaiter entre le néant et la vie éternelle. Après Abraham vinrent Jacob, Moïse, Salomon, nouveau panthéon qui rivalisait avec celui des saints.

Curieusement, les caprices de la mémoire de Daniel lui ramenaient plus souvent les objets associés à certains de ces hommes
que ces hommes eux-mêmes, par exemple les trompettes de
Josué, la fronde de David, le bâton de Moïse, les tables de la
Loi, objets merveilleux donnant aux hommes qui les possédaient une puissance à la fois guerrière et magique, et qui était
aussi la seule que Daniel enfant, pris par le même égoïsme que
le Peuple choisi, voulait obtenir de Dieu.

Cette fois, les héros et leurs aventures n'appartenaient plus
tous à un livre unique. Daniel trouva à la bibliothèque pas moins
de quatre versions de l'Ancien Testament, et chacune, avec des
images et des mots différents, racontait en gros les mêmes histoires. Daniel les lut toutes les quatre et fut surpris de constater
que son intérêt, au lieu de diminuer, augmentait. Il lui semblait
que chaque version ajoutait aux autres quelques détails
essentiels et que la somme de ces lectures faisait de lui un
véritable savant, un exégète avant l'âge, et que les répétitions,
loin de le lasser, avaient un effet bénéfique sur sa mémoire. Il
chercha quelqu'un avec qui s'entretenir de ses découvertes,
mais il se rendit compte que ces histoires n'intéressaient personne. Il prit ainsi l'habitude de rouvrir les livres pour se confier
à eux; il disait à voix haute ce qu'ils racontaient, par exemple
l'histoire des sept plaies d'Égypte à la page des sept plaies
d'Égypte. Il expliquait dans ses propres mots, et donnait plus de
détails qu'on n'en trouvait dans le livre.

Pendant ce temps, les autres enfants, qui avaient refusé de
l'entendre, vivaient et accumulaient de véritables souvenirs.

## Les lunettes

C'est à l'époque de ces découvertes qu'arriva à Daniel un
événement en apparence banal, qui dans son cas prit une
importance disproportionnée et l'enlisa encore plus dans sa vie
d'ermite: il commença à porter des lunettes. On avait déjà re-
marqué que Daniel grimaçait et ne semblait rien voir lorsque, en

classe, il quittait son habituel état de léthargie et fixait avec attention le tableau. On jugea bon de lui faire passer un examen de la vue, et il en sortit avec cette paire de lunettes que Lucien avait choisie au hasard, des lunettes à la monture brune, très classique, un modèle de vieil adulte, qui avait cette particularité de remonter vers l'extérieur à partir du nez, des lunettes légèrement bridées, qui lui donnaient l'air d'un Chinois. Daniel se réjouit fort de cette acquisition. Les lunettes représentaient pour lui le sceptre du savoir; elles lui apparaissaient comme un outil indispensable pour percer plus en profondeur le secret des livres. Il aurait un prétexte de plus pour s'enivrer de lecture. Il se joignait à la caste de son modèle, Sophie, trop vite disparue. Il la remplacerait; il en serait la réincarnation. Les lunettes lui donnaient aussi l'avantage de poser un écran entre le monde et lui. Caché derrière des vitres, il regarderait dorénavant les gens s'agiter, s'épuiser, protégé de tout cela, enfin. Il ignorait qu'il perdait en même temps son unique charme et son seul pouvoir sur les autres, ce regard profond, pénétrant, maintenant rapetissé par les lentilles, effacé par les reflets sur le verre. Les lunettes prenaient tant de place sur son visage qu'on en vint à le surnommer «les Lunettes», sobriquet qui lui resta.

## L'étrangère

Un jour, Lucien amena une nouvelle amie à la maison. Elle s'appelait Édith, avait exactement le même âge que Lucien et travaillait pour le gouvernement dans un immense bureau. Sitôt qu'elle vit Daniel, elle s'exclama. Elle le trouvait mignon, presque ravissant, elle s'extasia devant sa belle taille, sa peau si blanche et son air tellement intelligent, avec ses lunettes aussi grosses que son crâne. Elle le prit dans ses bras, approcha sa figure couverte de fard de celle de Daniel, extrêmement pâle, l'embrassa de ses lèvres si rouges qu'elles laissaient partout des traces sur la peau de l'enfant, qui s'écorchait au contact des mille et un bijoux portés par cette femme. L'agression était cruelle. Daniel porta un regard désespéré vers son père, mais celui-ci souriait et semblait approuver joyeusement ce qu'il voyait. Édith soumit l'enfant à un interrogatoire en règle. De sa voix haut perchée, elle posait avec un enthousiasme indicible les questions les plus banales et ne semblait même pas faire cas des silences de Daniel; elle répondait plutôt à ses propres questions, immédiatement après les avoir posées, devant un Daniel ébahi qui ne comprenait rien à un pareil déferlement en paroles et en actes. Le rapport qui s'établit entre eux au cours de cette rapide présentation fut celui qui persistera pendant tout le temps que durera la relation entre Édith et Lucien. Édith adorera Daniel en tant que digne fils de Lucien; elle lui vouera un amour sincère, le cajolera de ses manières affectées et théâtrales de femme pour qui l'amour a été le premier des apprentissages, un apprentissage mécanique, parfaitement intégré, auquel il n'est plus nécessaire de réfléchir. Daniel, quant à lui, détestera cette femme superficielle, idiote et ignorante, et ne pardonnera pas à Lucien d'avoir fait un si grand compromis amoureux, à cause de ce besoin absolu d'avoir une compagne auprès de lui.

Édith s'installa en grande pompe à la maison. Elle réorganisa tout l'intérieur de l'appartement, laissé à l'abandon depuis le départ de Mathilde; elle meubla les espaces vides d'objets les plus divers. Elle décidait des sorties de Daniel. Elle parlait surtout, inlassablement, au point de réduire Lucien au silence, et ses discours, sans être tout à fait bêtes, étaient si inconséquents et tellement remplis d'inexactitudes que Lucien ne répliquait que pour la reprendre. Elle s'occupait de Daniel comme personne ne l'avait fait auparavant; elle le touchait beaucoup, avec ses mains, avec ses bras, avec sa bouche, lui parlait, lui chuchotait des mots tendres que Daniel avait entendus ailleurs. Jamais Daniel ne s'était senti aussi loin de quelqu'un qu'en ces moments où elle le prenait dans ses bras, longuement, lui prodiguait mille caresses et cherchait à s'imposer à lui comme la mère qui lui manquait. Daniel pensait méchamment que Lucien la supportait comme un mal nécessaire.

Elle changea tout de même Lucien, radicalement. Comme l'avait fait Mathilde, elle transformait en homme cet éternel adolescent: à son contact, Lucien ne buvait plus, ne sortait plus seul; il était d'un calme remarquable, comme s'il survolait les choses de la vie avec une majestueuse indifférence ou bien abordait enfin les gens avec la générosité d'un homme dépouillé d'ambition. Un jour, Lucien glissa à Daniel une phrase horrible: il lui dit que, trop souvent, cette femme lui faisait honte. Peut-être cherchait-il à s'expliquer devant les remontrances silencieuses de son fils. Daniel aurait voulu ne jamais entendre cette phrase qui lui révéla le plus grand moment de faiblesse — peut-être le seul — qu'il pourra jamais reprocher à son père. Il délaissa alors brusquement Lucien et s'enferma dans sa chambre, très longtemps. Après cet incident, Daniel se sentit encore plus mal face à Édith. Il essayait le plus possible de l'éviter, de lui échapper, sans toutefois vouloir heurter cette femme généreuse et naïve, trop pleine de bonnes intentions.

## La Cour des Miracles

Daniel eut une occasion superbe de retrouver son admiration envers son père, partiellement ébranlée à la suite de son histoire avec Édith. Un soir d'automne, alors qu'il revenait de l'école, Lucien rentra à la maison le visage ensanglanté, les vêtements déchirés et salis. «Je les ai eus!» hurlait-il. Il s'étendit sur le sofa du salon et demanda à Daniel de le soigner. L'enfant réussit à vaincre sa répugnance et nettoya le sang sur la peau, pansa les plaies du mieux qu'il put, selon les indications de son père. Il avait l'impression d'accomplir une mystérieuse cérémonie, quelque chose de semblable à un baptême; le corps de son père se voyait purifié au prix de douleurs atroces. La peau de Lucien, ouverte et ravagée, soumise aux sévices de la guérison, s'offrait en sacrifice pour le libérer de péchés secrets qu'il aurait commis. «Je les ai eus!» répétait Lucien. Et il y avait dans ce cri de victoire un essoufflement qui rendait le triomphe encore plus grand.

Lucien avait été attaqué à la sortie de l'école par deux de ses anciens étudiants qui avaient je ne sais quoi à lui reprocher (les élèves ont bien souvent trop de raisons d'en vouloir à leurs professeurs). Alors que Lucien venait tout juste de franchir le seuil du bâtiment, il avait été brusquement empoigné par derrière, puis amené dans un coin sombre de la cour. Le plus petit des deux agresseurs s'était installé face à Lucien, avait brandi un poignard, avait insulté Lucien, avait menacé de lui faire payer pour toutes les vacheries qu'il avait commises en tant que professeur. L'autre gaillard, pendant ce temps, l'avait tenu solidement et lui avait soufflé son haleine dans la gorge. Lucien, possédé beaucoup plus par la rage que par l'énergie du désespoir, avait réussi à se dégager et, d'un puissant coup de pied, il avait fait voler le poignard à quelques mètres plus loin. Alors tout s'était embrouillé. Agressé et agresseurs s'étaient retrouvés par terre. Lucien avait été frappé à l'épaule et au visage par un des voyous qui avait repris le poignard. Il avait frappé à son tour les jeunes, plus durement, plus sauvagement qu'ils ne l'avaient fait pour lui, et devant leur défaite imminente, les ennemis avaient pris la fuite. Lucien rentra directement à la maison, sans que l'idée lui soit venue de dénoncer ses agresseurs.

Daniel fut ébahi de ce récit, et encore plus de l'existence de ces voyous. Il questionna son père à leur sujet, avec un tel sentiment d'urgence dans le regard, comme s'ils le menaçaient lui-même, que Lucien ne put s'empêcher de rire. Lucien expliqua que ces garçons, crapules parmi tant d'autres, venaient de cette zone suspecte et cachée appelée «Cour des Miracles». Daniel s'étonna de ce nom si beau qui s'accordait si mal à ces voyous. Lucien raconta que la Cour des Miracles était l'envers du monde et l'état primitif chez l'homme et la femme, un lieu où l'on se moque des lois et qui prospère triomphalement, tout en restant camouflé sous la surface. Cette Cour, ajouta Lucien, s'épanouissait comme les rats dans un égout; elle se comparait à ces amoncellements répugnants de poussière et de saleté que Daniel et lui avaient vus un jour sous le poêle et le réfrigérateur, alors que tout le reste de la cuisine brillait de propreté. Elle était aussi impossible à exterminer que les blattes, moustiques et autres bêtes dégoûtantes qui gravitent inlassablement autour des humains.

Lucien croyait ne rien apprendre à Daniel, mais l'enfant fut au contraire terrorisé de constater que le civisme, l'intelligence respectueuse, la passion du savoir et la peur de la mort n'allaient pas de soi pour certaines personnes. Bien sûr, au-delà de son univers douillet, rempli de livres et protégé par son père, il avait déjà eu d'innombrables occasions de prendre conscience du mal. Mais de savoir le mal organisé en une Cour des Miracles, société secrète tentaculaire dotée de la toute-puissance du mystère, l'amenait à penser que sa paix intérieure, indispensable à sa survie, était en réalité menacée de toutes parts. Lucien le rassura tant bien que mal. Quant à lui, disait-il à Daniel, il se réjouissait de l'existence de ces forces antagonistes: un combat tel que celui qu'il venait de livrer faisait sortir une rage malsaine captive en lui et la mettait au service du bien. Ces occasions étaient trop peu fréquentes. Il regrettait de ne pas pouvoir quitter la ville afin de se mêler, en toute confiance et pour la gloire de son pays, à une véritable guerre, comme celles d'autrefois, courte et sanglante, qui rendrait possibles et estimables les séances d'exorcisme par la violence.

## Île déserte et jeux de massacre

À cette époque, Daniel lut son premier livre sans images. Cela représenta beaucoup pour lui. Il lui semblait enfin avoir accès aux «vrais» livres, à ces livres qui n'ont pas de sens hors de ce qui est écrit sur la page et que les autres enfants de la classe regardaient avec admiration et incompréhension, de la même manière que lui avait regardé les livres de Sophie, sans oser croire qu'un jour lui aussi y aurait accès. Il avait toujours eu l'impression que les images rendaient le texte méfiant, que le texte ne se dévoilait que dans une intimité parfaite, que l'exploit intellectuel que représentait la lecture de ces pages sans charme immédiat lui donnerait accès à une science encore plus riche. La lecture de *Robinson Crusoé* confirma cette idée: non seulement il eut l'impression de voir mieux qu'avec des images le naufragé barbu qui comptait les jours et les semaines sur un vieux tronc d'arbre, mais le contact prolongé avec ces pages à première vue sans signification lui permit d'entrer d'une manière encore plus convaincante dans la tête du personnage, d'y croire, donc, mieux que jamais.

Et le personnage n'était pas dépourvu d'intérêt. Il créa chez Daniel, ainsi que chez tous les enfants lecteurs de *Robinson,* le traumatisme de l'île déserte: Daniel considéra son propre abandon sur une île déserte, ou dans tout autre lieu désolé, comme parfaitement plausible; il se rendit compte que, si un tel événement lui était arrivé avant la lecture de *Robinson Crusoé,* il aurait été, selon toute probabilité, entièrement pris au dépourvu, au point d'en mourir (cette pensée l'emplissait d'effroi et lui faisait craindre tous les dangers qu'il pourrait courir et qu'il ignorait encore). Il commença donc à se préparer à une telle éventualité, matériellement d'abord, en essayant de déterminer quels seraient ses premiers gestes de naufragé, ce qu'il emporterait avec lui, en supposant qu'il aurait tout le temps de choisir minutieusement les objets et les livres dont il voudrait s'entourer. Mais cette préparation devait aussi être psychologique. Daniel se demandait comment il pourrait vivre sans son père, comment il supporterait l'immense chagrin de l'abandon total mêlé à la joie d'être seul dans un petit monde bien à lui. Il fut obsédé par cette idée d'avoir à vivre sur une île déserte et, à force d'imaginer des projets de survie, il cessa de considérer la vie de naufragé comme une horrible destinée. Daniel la concevait autrement, comme un rêve de liberté, dans une de ces jungles que le Douanier Rousseau a imaginées sans jamais avoir vu de véritables jungles; il envisageait un paradis tropical aux plantes étranges et au soleil de plomb, que personne ne souhaite sincèrement habiter.

Les naïves études théologiques de Daniel contribuèrent à
entretenir chez lui un très grand intérêt pour l'histoire et la géographie. Il dédaigna bien vite les cours de géographie qu'on
donnait à l'école, puisqu'on s'obstinait à ne parler que du pays
environnant — les montagnes, les plaines, les fleuves, les lacs
avoisinants — et des gens qui y vivaient, ceux-là même qu'il
pouvait voir tous les jours et qui ne l'avaient jamais vraiment
intéressé. Tout cela lui semblait terriblement ancré dans son
petit monde. Les accidents de terrain décrits dans les livres
étaient tellement réels et concrets que son père les lui avait
parfois montrés lors de promenades en voiture, les dimanches
après-midi. Daniel voulait les déserts bibliques et les collines où
avaient prêché les saints; il n'acceptait rien d'inférieur à ce que
les livres lui avaient offert et que seuls les livres pouvaient lui
présenter, pareil à ces enfants de riches ruinés qui ne par-
viennent pas à s'intéresser à leurs nouveaux jeux.

Il fit plusieurs fois le tour du monde, sans autres guides que
des atlas et de mauvais livres de géographie; en mal d'exotisme,
il passa trop vite au-dessus de l'Amérique du Nord et de l'Eu-
rope et s'attarda à l'Afrique et à l'Asie, là où on lui promettait
des déserts sans fin et des montagnes infranchissables. Il apprit
le nom de plusieurs pays africains et celui de leurs capitales,
alors qu'il ignorera longtemps celle-là même des États-Unis. Il
se promenait en ouvrant les yeux quand bon lui semblait, comme
un touriste à l'affût du pittoresque, victime de tous les folklores.
Il se concentra aussi sur les formes, sur ces superbes abstrac-
tions que sont les contours des îles, des mers, des continents, sur
les magnifiques couleurs d'une carte indiquant le relief, et il
s'émerveilla de constater que ces pages n'étaient pas que de
l'art, qu'elles contenaient aussi des mines d'informations, tout
en représentant les formes réelles, imperceptibles à l'œil, de ce
qu'elles prétendaient montrer. Daniel voulut reproduire lui-
même le miracle; il se mit à copier des séries de cartes géogra-
phiques. Son idéal, fort peu audacieux, consistait à reproduire le
plus parfaitement possible l'original. Il s'y appliquait soigneusement, faisant preuve d'une minutie qu'on ne lui connaissait

pas et parvint à des résultats étonnants. Il eut l'ambition de reproduire, en guise de projet final, la terre entière sur un immense format. Il y consacra toute son énergie pendant de longues semaines, négligeant même ses lectures; il travaillait les yeux fixés sur les détails de son modèle, puis sur les détails de son œuvre, y mit tellement d'attention et d'âme qu'il oublia de prendre les distances nécessaires. Le résultat fut une catastrophe, une caricature de mappemonde; malgré quelques détails parfaits, les erreurs de proportion ressortaient horriblement. Daniel avait refait involontairement les mers et les continents, mais, en dieu déçu, il déchira de sang-froid sa création et retourna à ses livres.

En ce qui concerne l'histoire, Daniel tomba sur trois énormes volumes qui, à l'aide d'abondantes illustrations, prétendaient tout raconter, des origines au premier homme dans l'espace. Daniel s'étonna que l'histoire s'arrêtât à cet événement qu'il considérait déjà comme ancien. Il ne s'était pas rendu compte que, si certains livres restent toujours jeunes, ils ne gardent que la jeunesse qui leur fut contemporaine; il restera plus tard avec cette impression qu'un livre, par définition, ne peut pas être parfaitement moderne. Et, puisque son époque ne pouvait ainsi s'exprimer dans les livres, il aura longtemps le sentiment que la vie présente reste forcément beaucoup moins riche que celle d'autrefois. Les événements racontés étaient tellement abondants dans ces trois volumes que Daniel ne parvenait pas à croire que des livres puissent en contenir autant. Il avait l'impression de choisir parmi ces événements, comme si les faits de l'histoire s'offraient, vulnérables, à l'imagination du lecteur, qui aurait ainsi la possibilité de faire exister certaines actions parmi des milliers, de les faire advenir ou disparaître pour une égoïste satisfaction, d'aller chercher ses plaisirs comme il lui convenait, ainsi qu'un mécène emporte ce qui lui plaît dans une galerie d'art. Daniel, en enfant sensible et délicat, s'intéressa aux tyrans et aux massacres, heureux de découvrir tant de cruauté, bien au-delà de tout ce qu'il lira dans les récits fictifs. Il fit ainsi des dénombrements, et ces chiffres résonnèrent dans sa tête comme les sommes entrées dans une caisse enregistreuse résonnent aux oreilles d'un marchand avare: 3 000 morts à Paris en quelques heures à la Saint-Barthélémy, 6 500 esclaves crucifiés à la suite de la révolte de Spartacus, 14 000 Chiites exterminés par Sélim le Cruel, 17 000 têtes guillotinées sous la Terreur, 90 000 têtes coupées et groupées en pyramides par Tamerlan à Bagdad, un million d'Arméniens discrètement éliminés par les Turcs, six millions de juifs assassinés sous le régime nazi. Et la liste pourrait se poursuivre bien longtemps encore. Daniel s'intéressa aussi à des actes de cruauté moins importants quant au nombre de victimes, mais d'un raffinement tout aussi exemplaire: Ivan le Terrible qui se promenait avec une tête empalée au bout d'une lance en guise de sceptre, Phalaris qui faisait brûler ses ennemis dans le ventre d'un taureau d'airain, les Mongols qui fêtèrent une de leurs victoires sur une plate-forme soutenue par les princes russes vaincus, ainsi étouffés au cours de la célébration, et les conquistadores dont la liste des actions ignobles remplirait un livre plus épais, pensait Daniel, que cette Bible à laquelle ils prétendaient croire. Daniel admira la cruauté de tous ces actes qui ne semblaient avoir d'autres motifs que celui d'étaler une méchanceté à l'état pur, aussi parfaite qu'une bonté sans tache ou un courage sans arrière-pensée. Daniel pensa qu'à ces moments de l'histoire, cette fameuse Cour des Miracles dont lui avait parlé son père s'exposait au grand jour et qu'elle n'attendait aujourd'hui qu'un mince relâchement de la civilisation pour se montrer dans toute son horreur. Curieusement, Daniel, protégé par les murs de sa chambre, se sentait à l'abri de ces massacres collectifs et de ces actes de cruauté; il riait sans vergogne des génocides, comme s'il s'agissait de destructions de fourmilières. Il en rit jusqu'à ce qu'on lui apprenne qu'on avait braqué il ne savait combien de bombes gigantesques sur lui et qu'il pouvait disparaître dans un cataclysme pire que tous ceux qu'on avait imaginés dans le passé.

# Chapitre 4

## La cour

À l'école, Daniel resta longtemps l'enfant silencieux, retranché et craintif qu'il avait toujours été, et de son coin de cour il assistait aux succès de son cousin Alexandre. Aux récréations, il avait adopté le lieu le plus éloigné de la porte de l'école, celui qu'il jugeait le plus tranquille, qui pouvait lui assurer un maximum de solitude. Il devait le partager avec d'autres enfants de son espèce, ceux qu'il nommait — en s'incluant lui-même — les parias de la cour, obèses, bègues, timides, boiteux, etc., avec lesquels, parfois, il se voyait forcé de s'entretenir. De ce poste stratégique, il observait. Il observait les jeux des enfants sans les comprendre; il regardait les visages des enfants, semblables à des tableaux, des portraits ni beaux ni laids, toujours très éloquents. Il se croyait lui-même créateur de ces visages, puisqu'il se savait seul à bien les saisir, seul capable de bien les saisir, de fixer dans son esprit certaines moues, certaines expressions du visage qui ne duraient en réalité qu'une fraction de seconde. Ce jeu d'appropriation devint par la suite un jeu d'extrapolation. Daniel donnait des rôles aux enfants, ou des qualités sorties de sa seule imagination; il les classait selon des hiérarchies bien à lui, d'après la beauté, la force, le ridicule, l'intelligence. Il s'amusa aussi à repérer les réseaux entre les enfants et, là où il n'avait vu de prime abord qu'un immense corps qui se déplaçait avec lourdeur, il discernait maintenant les groupes et les sous-groupes, les chefs et les suiveurs. Il voulut même voir dans cette simple cour d'école une véritable cour royale; il cherchait les barons, les marquis, les comtes et il admirait l'art avec lequel les enfants adoptaient, frivoles, les attitudes de la noblesse; Daniel couvrait les têtes de perruques, parait les filles de robes de velours, transformait les jeux des enfants en fêtes galantes, imaginait des intrigues, secrètes tractations, et déjà de grandes amours. Sous la gouverne d'un régent discret, la cour attendait son roi et Alexandre comprit probablement qu'il n'en tenait qu'à celui qui le voulait bien de s'approprier le trône. Dès son arrivée, il avait rapidement abandonné Daniel, et Daniel le voyait de loin, tel Louis XIV enfant préparant secrètement son règne, admirable, établissant ses positions, acclamé par les petits, organisant son inévitable triomphe avec une assurance déjà toute souveraine.

Daniel assista à ses succès, effectivement prodigieux: en moins de deux ans, Alexandre réussit à s'imposer aux enfants de l'école. Il se pavanait dans la cour, tel le peintre Raphaël en compagnie de ses disciples; il marchait constamment entouré d'une joyeuse cohorte d'enfants qui ne juraient que par lui, une belle cohorte d'enfants roses et frais qui riaient, chantaient et narguaient de leur saine vigueur un Daniel pâle et malingre qu'ils excluaient. En fait, le seul à qui Alexandre ne réussissait pas à plaire restait Daniel. Le cousin, trop rapidement délaissé, fut d'ailleurs un poids sur la conscience d'Alexandre qui, voyant l'exil et la parfaite solitude de son ex-inséparable, en ressentait un certain sentiment de culpabilité. Leurs rencontres forcées, chez ses parents ou chez son oncle, devenaient pénibles. Alexandre essayait de compenser sa désertion par une gentillesse surfaite. Ce comportement seul blessait Daniel, qui avait appris à se passer de la protection de son cousin et qui, derrière le sourire et les bonnes manières factices d'Alexandre, voyait un injustifiable mépris gauchement voilé.

Alexandre avait à l'école un prestige semblable à celui qu'avait eu son oncle durant sa jeunesse. Il le mit au service des honnêtes principes de sa mère, Louise, au service du bon droit et de cette justice héroïque, qui, selon Daniel, dans l'affrontement des morales, paraît toujours parfaitement raisonnable parce qu'elle reste infiniment prudente, terre à terre, totalement relativiste; cette morale déplaisait à Daniel, déjà trop soumis à la dictature de sa bonne conscience, même s'il en sera plus tard un des défenseurs les plus acharnés, non pas par une identification quelconque à la cause, mais pour gagner l'estime que donne une subtile soumission aux idées en vogue. Alexandre, éclairé, s'était donné la difficile mission de rendre ses idéaux aussi attrayants que le vice, de faire auréoler le bien du même prestige que l'obscurité donne à un voleur. Il employa à ce but toutes les puissantes ressources de son charme et parvint à imposer à ses camarades, sinon une solide croyance à ses principes, du moins cette universelle admiration envers lui que Daniel avait si bien perçue, et qui le trompait sur son véritable pouvoir de persuasion.

Alexandre croyait essentiel d'accorder à chaque individu une valeur primordiale et égale à celle des autres. Et, lorsqu'il eut fortement consolidé sa position en tant que chef incontesté de son petit monde, cet égalitarisme dévia, en ce sens qu'Alexandre en vint à accorder, à quelques occasions, plus d'importance aux âmes rebelles à son charme, aux brebis égarées de l'Évangile, qu'à ses fidèles lieutenants. C'est ainsi qu'il retourna à Daniel, dont la déchéance, tout à coup, ne lui était plus indifférente. Il alla un beau jour, entouré de toute sa suite, chercher Daniel, seul et perdu dans son silence. Il l'installa aux yeux de tous à sa droite, en affirmant bien haut, à la consternation générale, qu'il y resterait, ne leur en déplaise, et qu'on devrait dorénavant le traiter avec tous les égards dus à son cousin. Daniel crut qu'on se moquait de lui. Il ne comprenait pas qu'on puisse s'intéresser à lui d'une manière quelconque, lui qui ne s'intéressait aux autres élèves qu'à la condition de n'avoir aucun commerce avec eux, lui qui avait toujours rejeté ses camarades parce qu'il les trouvait interchangeables, détestables, ou au contraire tellement dignes d'amour que la charge de passion qu'il pourrait leur donner ne correspondrait jamais à celle qu'il recevrait. Il vit dans cette mascarade, qui servait finalement beaucoup plus Alexandre que lui-même, une autre manifestation de cette pitié proche du mépris qui marquait depuis déjà trop longtemps ses relations avec son cousin.

Mais Daniel, peu après, fut tout à fait ravi: pareil à un homme de petite taille séduit par une femme trop belle ou un clochard qui subit les grâces d'un banquier, il ne fut point insensible à l'honneur qu'on lui faisait. Il accepta sa nouvelle situation avec l'apparence de détachement qui le caractérisait si bien aux yeux de ses camarades, ce qui inquiéta légèrement Alexandre, qui s'attendait à des manifestations de gratitude proportionnelles à la noblesse de son geste. Pourtant, Daniel sentait en lui un bouillonnement et, vulnérable devant ce trop d'honneurs, il se mit à craindre de retomber dans sa déchéance initiale, qu'il en vint à mépriser à son tour. Il vécut d'abord chaque jour comme le dernier qu'il passerait avec le groupe, puis il s'habitua, tout en conservant la peur secrète d'être un jour à nouveau exclu.

Avec sa place dans le groupe, Daniel acquit le droit à la parole. Pour la première fois de sa vie, il se sentit la possibilité de parler librement et il usa spontanément de ce nouvel avantage. Les phrases dans sa tête, n'ayant plus à tourner sept fois ou plus avant d'être ravalées, ou d'être amputées au point d'en perdre tout leur sens, sortaient parfois si vite qu'il lui semblait ne pas y avoir pensé. Il avait l'impression de les entendre, lui aussi, comme neuves, dites par quelqu'un à l'intérieur de lui-même, et cela lui apportera un délicieux sentiment de liberté. Mais il se sentira menacé par ses discours, à cause de la honte, atroce, qui le poursuivait, à la suite des innombrables âneries qu'il disait parfois, à des moments inattendus. Il gardera un tel souvenir de ces sottises qui sortaient de sa bouche comme des crapauds et des vipères, que ces moments d'humiliation lui reviendront à l'esprit lorsqu'il retombera quelques années plus tard dans le mutisme. Ce pernicieux sentiment de honte sera beaucoup plus persistant dans ses souvenirs que les joyeuses euphories qui l'avaient bien plus souvent emporté. Aujourd'hui, quand il repense à cette période, à ces heures où il s'exprimait avec une relative sagesse, à ces moments où il écoutait les autres en sentant qu'on s'adressait aussi à lui, ou lorsqu'il était tout simplement mêlé aux jeux de ses camarades, il a l'impression d'avoir vécu hors de lui-même; cette période lui paraît très loin dans sa mémoire, comme si elle avait été racontée par quelqu'un d'autre. Il se demande s'il n'aurait pas dû en être ainsi pour le reste de ses jours, s'il n'aurait pas été mieux de grandir paisiblement, sans toujours se poser de questions, comme les autres enfants dans l'entourage d'Alexandre, et d'avancer aussi léger qu'un animal qui ne laisse pas de traces sur la neige.

Dans ses moments d'emportement, Daniel imposait à ses camarades des jeux étranges, sortis tout droit de ses livres, des jeux qui le fascinaient parce qu'ils lui permettaient de revivre avec d'autres enfants ses lectures, de les faire entrer concrètement dans sa vie, sous son propre contrôle — égal à celui d'un metteur en scène sur ses acteurs, ou mieux, d'un artiste sur ses créations — et son enthousiasme furieux entraînait malgré eux ses camarades, à la fois émerveillés et inquiets à cause de la nouveauté, de la bizarrerie, de la profonde originalité de ces jeux, au point qu'ils ne pouvaient s'en retirer ou s'en moquer qu'après mûres réflexions.

## Les enfants-héros

Daniel s'alimentait toujours de livres. La place qu'occupait la lecture parmi ses activités et dans la répartition de son temps diminua au profit de sa vie sociale, qui alla jusqu'à accaparer ses fins de semaine et certaines soirées. Il délaissa les personnages imaginaires pour se consacrer de plus en plus à ses camarades et à leurs conversations. Pourtant Daniel lisait maintenant plus vite, avec plus d'acharnement; lire lui était devenu aussi naturel que boire ou manger. Il lisait quasi mécaniquement, comme on respire, sans y penser, par besoin vital. Sa nouvelle vie mondaine le forçait à lire au coucher et au réveil, dans une seconde vie, brouillée, obscurcie par le sommeil passé ou à venir. Ses lectures s'assimilaient à ses rêves et disparaissaient comme eux à la sortie du lit. Elles venaient en vérité modifier, transformer la moindre de ses pensées, la moindre de ses paroles, plus dangereusement qu'auparavant, parce qu'il s'en rendait beaucoup moins compte.

La bibliothèque restait le lieu où son esprit se ressourçait, l'antre où il souhaitait d'être inhumé s'il venait à mourir bientôt. Il rêvait d'en chasser tous les parasites — le personnel, la clientèle —, de s'y établir lui-même de son vivant, de s'y immoler avec tous les livres si on l'en empêchait. Le personnel, loin de soupçonner de telles pensées, l'accueillait au contraire avec force sourires et politesses, fier de servir cet enfant à lunettes qui collait si bien à l'image du fort en thème, qui quittait toujours la bibliothèque les bras chargés de livres trop-vieux-pour-son-âge et à qui ils avaient accordé une fois pour toutes une intelligence hautement supérieure. Daniel, de son côté, conscient de la méprise, détestait les formalités exigées pour emprunter les livres et ces gens qui lui faisaient obstacle, ces gens qui prétendaient pouvoir le connaître, pensait Daniel, parce qu'ils avaient à leur disposition tout le cheminement de ses lectures et qu'en reconstituant la liste de tous les livres lus par lui, ils pourraient reconstruire, tel un puzzle, son esprit et croire que ce Daniel pas très loin du vrai puisse être le Daniel véritable. Il avait la fâcheuse impression, lorsqu'il s'approchait du comptoir du prêt, de se soumettre à un jury ou à un confessionnal.

Les lectures de Daniel n'avaient rien de bien extraordinaire; elles restaient celles de tous les garçons légèrement plus vieux que lui qui aimaient lire, des lectures approuvées par les adultes censeurs, recommandées par les parents et les professeurs, des livres d'aventures bien sûr, les classiques de l'aventure, Verne, London, Stevenson, ces livres qui mènent quelques années plus tard aux véritables classiques. Daniel avait besoin de sentir sur lui le poids de l'approbation générale, de voir apposé sur les livres le sceau de l'intelligence, par la seule célébrité de l'auteur; l'intelligence du propos se reflétait sur son esprit, sur sa propre personne, et il tirait de la gloire de l'auteur une pâle lueur, suffisante pour lui permettre de se réconcilier avec lui-même en des moments de doute, mais assez faible pour lui en faire sentir toute la précarité et l'artifice.

De Jules Verne, Daniel aima tout. L'œuvre immense de Verne lui parut un champ inépuisable, une source certaine de plaisirs et d'aventures, jamais totalement gratuits, puisqu'aux ardentes émotions se mêlait un apprentissage géographico-historique que Daniel jugeait important, quitte à ce que l'action en soit ralentie. Dans son besoin de hiérarchies, Daniel hissa au sommet de l'œuvre de Verne *Les Enfants du capitaine Grant,* un étincelant tour du monde, beaucoup plus captivant à son avis que celui qu'avait bâclé Phileas Fogg, un tour du monde en compagnie d'une petite société idéale dont il se mit à rêver — parents, enfants et savant professeur — et dont chaque personnage, parce qu'ici grossièrement esquissé, lui apparaissait, comme une couleur primaire pour un peintre, un moyen facile, efficace, d'arriver à certains effets ou émotions. Cette petite société d'une extraordinaire mobilité traversa les Andes et la pampa, parcourut l'Australie et les îles du Pacifique, au prix de mille dangers, à la recherche d'un mythique capitaine dont l'existence leur avait été révélée par un message dans une bouteille! Cette surabondance de recettes — exotisme, action, mystère — utilisées avec un art consommé, et que Daniel retrouvera dans les autres «grands» Jules Verne (selon lui *Michel Strogoff, L'Île mystérieuse, Le Château des Carpathes*), avait eu sur lui l'effet d'une distribution de denrées à un peuple en famine ou d'un miracle advenu à un croyant et elle répondait tellement bien à ses exigences qu'il ne pouvait rien envisager de meilleur. Daniel retrouva un identique dosage de recettes et d'intelligence dans *L'Île au trésor* de Stevenson: le héros était un enfant comme lui, doté du courage que Daniel s'attribuait dans ses rêves. Daniel retrouva les mêmes pirates qu'il avait connus dans de nombreux autres récits, avec leurs jambes de bois, leur haleine empestée de rhum et de tabac, mais ils étaient cette fois plus bêtes, cruels, et sanguinaires que jamais. Ils avaient à leur tête le «méchant» idéal, un être fourbe, intelligent, quasiment sympathique, sans scrupules. Les aventures étaient moins chargées d'explications rationaliste que dans les romans de Jules Verne. L'effet en fut dévastateur puisque Daniel se prit littéralement pour l'enfant-héros de récit; cette parfaite symbiose entre le lecteur qu'il était et le personnage du petit Jim ne fut peut-être jamais aussi réussie dans la vie de Daniel. Ainsi avait-il vraiment cru sa dernière heure arrivée, et vu ce que l'on voit avant de mourir, lorsqu'il se retrouva seul, entouré de pirates, avant que le docteur et ses amis ne viennent le délivrer, à la dernière minute évidemment.

Daniel s'attacha autant à *Poil de carotte,* au point d'en faire son livre de chevet: il avait pour la première fois en sa possession un livre qui traitait strictement de problèmes d'enfants, de ceux que l'on tait à ses amis intimes. Il se trouvait devant un enfant faible et démuni, victime du pouvoir adulte, l'anti-Jim de *L'Île au trésor*. Mais la vulnérabilité de cet enfant était de même source que la force extraordinaire de l'enfant-héros, et la manière crue, affreusement réaliste, de raconter l'histoire s'offrait en contrepartie à l'exaltation héroïque de Stevenson; la même menace de l'adulte y était présente, les «méchants» étaient toujours plus forts que les «bons», les mêmes durs combats y étaient menés, mais la victoire jubilante du roman d'aventures trouvait dans *Poil de carotte* un équivalent atténuateur dans la drôlerie irrésistible des scènes racontées.

## Noms, chiffres et empires

En histoire, l'intérêt de Daniel passa des événements sanguinaires aux grands empires, et plus spécifiquement aux grands empereurs. Alexandre le Grand attira d'abord son attention. Probablement parce que l'empereur était l'homonyme de son cousin, Daniel ne put s'empêcher de faire certaines associations: il donna à Alexandre le Grand le visage de son cousin, et à son cousin la sagesse aristotélicienne du conquérant. Parmi les nombreux exploits d'Alexandre, Daniel fut particulièrement frappé par l'épisode du nœud gordien. L'importance que semblaient accorder les historiens à cet événement tout de même mineur en comparaison des grandes victoires militaires révolta son esprit de lecteur assoiffé d'action; il aurait voulu que l'humanité retienne d'abord l'héroïsme de la prise de Tyr ou la superbe victoire d'Issos. Mais lui-même se fit prendre au jeu. Le nœud gordien — et la postérité de l'anecdote qui lui était liée — resta une énigme dans son esprit (peut-être parce que pour le Daniel d'alors, il était inconcevable qu'un problème puisse se trancher d'un coup d'épée, lui qui s'acharnait toujours à tirer toutes les ficelles et à s'en épuiser) et le marqua à son tour plus que tout autre épisode de la vie d'Alexandre. Plus qu'Alexandre, Daniel aima Jules César, qui eut le courage de s'effondrer en larmes devant la statue de son illustre prédécesseur — type de souffrance que Daniel comprit d'ailleurs fort bien puisqu'elle était celle, exacerbée, du lecteur privé de la possibilité de vivre les aventures qu'il a lues — qui eut ce courage encore plus grand de gouverner avec une arrogance insupportable, ce qui lui valut la plus spectaculaire des morts pour un empereur. Il fut frappé de trente-cinq coups de couteau, au grand soleil, en plein cœur du forum, sous la statue de son ennemi mortel et, comme si cela n'était pas assez, il eut enfin à ce moment, quelques secondes avant la fin, l'incroyable présence d'esprit de laisser à la postérité une de ces phrases célèbres dont il avait l'art, *tu quoque, fili,* une phrase qui montrait comment il avait eu conscience de la curieuse tournure de cette mort raffinée dans sa cruauté: il avait bel et bien vu son fils chéri lui planter un poignard en plein ventre! Après Jules César, Daniel fut tenté de négliger Gengis-Khān, probablement parce que son empire lui semblait si lointain et mystérieux qu'il craignait de s'engouffrer avec lui dans un monde inconnu, aux coutumes barbares et bouleversantes. Mais quand il connut l'ampleur des victoires du Mongol, sa sagesse, sa cruauté, il lui voua sans réserve une sincère admiration, qui grandira encore lorsqu'il apprendra que le Khān était parti à la conquête du monde alors qu'il était à peine âgé de seize ans; Daniel refusa à ce moment de le vieillir: il vit en lui l'empereur enfant dont la petite taille et la férocité étaient venues est à bout d'empires millénaires. Daniel afficha une immense sympathie pour Napoléon et sa nostalgie des empires du passé. Il admira son sens du mauvais goût, qui n'avait d'égal que sa facilité déconcertante à remporter des victoires militaires. Mais Napoléon trahit bassement les espoirs de l'enfant, en commettant d'inadmissibles erreurs tactiques lors de sa campagne de Russie; son exil à Sainte-Hélène fut aussi un exil dans l'esprit de Daniel, aussi déçu qu'un amoureux bafoué, parce qu'il avait naïvement reporté sur Napoléon ses plus beaux espoirs, comme si l'histoire de l'empereur s'était déroulée devant lui.

Le seul de ces empires qui parvint à se consolider fut celui de César. Daniel découvrit avec joie qu'il ne s'était maintenu que par la cruauté, l'ambition effrénée, la folie et la bêtise, que, sur une centaine de successeurs de César, près de la moitié périrent assassinés ou à la suite de suicides forcés, sans compter les autres, morts au combat, ou d'humiliation, comme Valérien, esclave écuyer du roi des Parthes. Daniel se fit un devoir d'apprendre par cœur le nom des empereurs et les circonstances de leur mort, comme si cette connaissance était pour lui un moyen de s'approprier leur empire.

Pour se donner l'illusion d'avoir à lui une part du monde actuel, il poursuivit ses recherches en géographie. Il élimina l'étude de la géographie physique. La géographie, selon lui, se résumait à deux choses: des noms et des chiffres, ces derniers succédant généralement aux premiers. Le nom d'un pays était suivi par des chiffres concernant sa population, sa superficie, son produit national brut, puis d'autres noms s'enchaînaient, les villes, et d'autres chiffres, leur population, les montagnes (noms), leur altitude (chiffres), des fleuves (noms), leur longueur (chiffres), leur débit (chiffres), etc. Daniel posséda aussi, et cela à un degré suprême, l'art de la carte muette. Il situait rapidement et sans erreurs tous les noms qu'on lui donnait; il savait reconnaître les contours des moindres pays, des moindres îles de la planète. Aujourd'hui, il n'a pas encore tout oublié, même si certains chiffres appris, démodés, auraient dû disparaître de sa mémoire, ensevelis par les changements du monde.

## Daniel parmi les docteurs du Temple

Les connaissances de Daniel, exceptionnelles pour son âge, ne restèrent pas longtemps ignorées. Ses camarades remarquèrent qu'il répondait avec une calme assurance à toutes leurs interrogations au sujet de ce qui pouvait avoir une réponse dans les livres, qu'il les corrigeait à maintes reprises toutes les fois qu'ils abordaient insouciamment dans leurs conversations des sujets comme les pays étrangers, les histoires célèbres, les hommes et les femmes illustres. On s'en étonna beaucoup, on le qualifia de dictionnaire ambulant, on lui accola une aura mystérieuse qui imposait le respect, mais qui établissait une forme de distance entre Daniel et eux. Il leur semblait qu'un tel savoir était à la fois inquiétant et illégitime pour un enfant de leur âge, que son acquisition avait dû se faire au prix de souffrances mortifiantes dans le but malsain d'attirer l'attention, que son penchant pour le savoir était un pis-aller pour compenser l'absence de qualités beaucoup plus précieuses à leur goût, entre autres les talents sportifs, le sens de l'humour, la popularité.

On ne parvint à l'admirer sincèrement que lorsque son savoir fut reconnu par l'instance suprême de la classe, l'institutrice. La jeune femme avait l'habitude d'animer ses cours en posant les questions les plus diverses à ses élèves, des questions qui visaient à vérifier l'état de leurs connaissances et qui restaient souvent sans réponse. Jamais Daniel, dévoré par la timidité, ne se serait résolu à intervenir de lui-même. Mais un jour, alors que la classe restait silencieuse, que personne ne semblait savoir quelle était la capitale du Pakistan, l'origine étymologique du mot «alpinisme», ou quelque chose du genre, une élève cria bien fort: «Demandez-le à Daniel!» La maîtresse crut comprendre que toute la classe approuvait silencieusement. Elle se tourna tout à coup vers Daniel, en souriant, en craignant qu'on ait voulu jouer un mauvais tour à l'enfant, et posa tout de même à nouveau la question. Alors Daniel, en rougissant, sans hésiter le moins du monde, laissa sèchement échapper la réponse, parfaitement juste, qu'il glissa aussi distraitement que lorsqu'on donne une excuse avant de s'esquiver. Le manège recommença à plusieurs reprises. À une question sans réponse, la classe soufflait en chœur: «Demandez à Daniel!», et celui-ci y allait de son énoncé, qui tombait comme un couperet, précis, incontournable, d'une étonnante brièveté.

À la maison aussi, Lucien fut forcé d'admettre les acquis phénoménaux de son fils. Daniel, incapable de garder ses découvertes pour lui, l'avait choisi comme confident. Lucien, qui avait prévu bien des choses dans son rôle de père, mais pas cela, se montra indifférent: un enfant qui ne faisait que répéter ce qu'il apprenait dans des livres pour enfants (plutôt bien faits, il fallait l'avouer) n'avait rien de bien extraordinaire à ses yeux. Le bavardage de Daniel gardait un je-ne-sais-quoi d'agaçant parce qu'il camouflait sûrement des idées plus personnelles et révélatrices de sa vie intérieure. Puis il fut surpris de constater l'ampleur des découvertes de son fils, dites sur un ton professoral, avec un sérieux impeccable qui collait aussi mal à cet enfant gauche et fragile que ses discours aux préoccupations actuelles. Il se rendit compte que vivait chez lui une petite merveille, possédée par une curiosité et une capacité de mémorisation qui allait bien au-delà de la simple exception, et qu'il devait lui-même modifier son comportement de manière à l'adapter au génie de son fils.

Ces prodiges ne plaisaient pas entièrement à Lucien: il se réjouit de voir son enfant sortir de l'ombre, du silence quasi spectral qui semblait le condamner à l'anonymat et à la médiocrité. Cette nouvelle et puissante percée au grand jour n'était cependant pas celle d'un enfant sain et fort, mais bien celle d'un monstre gavé de connaissances qui parlait de ces choses comme de futilités fondamentales, avec l'air tragique d'un vaincu. Lucien prit toutefois le parti de s'en réjouir, d'en tirer lui-même avantage et d'ouvrir à Daniel la vie publique.

Lucien exhiba Daniel une première fois, à une réception d'intimes, chez un ami. À sa grande satisfaction, Daniel fit merveille. Les séries de noms, de chiffres, d'événements étalés par Daniel, les réponses incroyablement précises aux questions qu'on lui posait, l'assurance de Daniel face aux vérités énoncées — car il s'agissait bien de vérités: nul ne pouvait contester une réponse de Daniel ou en discuter d'une manière quelconque, ses réponses frappant aussi juste que le marteau d'un juge; jamais il n'aurait pris le risque d'être rabroué, sa seule arme face à ce public avide étant la force d'une vérité incontestable — l'assurance de l'enfant donc, en contraste avec son allure frêle, presque celle d'un coupable, lorsqu'il parlait, tout cela marqua profondément les gens présents, désireux de merveilles, et les convainquit qu'ils avaient bel et bien devant eux le petit Mozart de la connaissance.

Lucien traîna ainsi Daniel, en deux ou trois occasions, à des réceptions où le public était de plus en plus nombreux et, à chaque fois, le phénomène se renouvela. Tel Jésus parmi les docteurs, Daniel imposait le respect et l'admiration. Avec sa voix de fillette et son incontestable statut d'enfant, il était d'un charme léger, comme un baume qui rafraîchissait la vie des adultes témoins de l'accomplissement d'un miracle auquel ils n'auraient pu croire sans le voir, pensaient-ils, que si eux-mêmes avaient été enfants; mais ces grands prêtres du Temple n'étaient pour Daniel que de doctes ignorants, et après avoir cru s'exhiber pour le seul plaisir de son père, il en éprouva à son tour un certain agrément, un gratifiant sentiment d'accomplir son devoir, car il avait parfois l'impression de combler des lacunes inexcusables dans le savoir des grandes personnes.

Les exhibitions de Daniel terminées, Lucien prenait la relève. Il parlait très fort, ne s'interrompant que pour calculer ses effets; il avait l'occasion de briller à son tour, parmi un public nouveau qu'il connaissait mal. Daniel, fatigué, attendait la fin des tirades de son père, heureux de voir son père heureux, de le voir si bien au milieu de ces gens, las tout de même, comme s'il avait l'éternité devant lui, éternité que son père prolongeait encore en fin de soirée par des adieux à n'en plus finir.

Un jour, une occasion extraordinaire s'offrit à Daniel: ni plus ni moins que la chance de passer à la télévision! L'institutrice l'avait fortement recommandé comme représentant de sa région à un jeu télévisé qui mettait les jeunes savants en compétition et les faisait s'affronter comme dans une rencontre sportive. Chaque région devait puiser dans ses écoles quatre champions qui formaient une équipe, en rivalité avec celle d'une autre région. Daniel s'intéressait fort peu à ce concours, mais l'institutrice, Lucien et Édith étaient tellement enthousiasmés à l'idée de sa participation que l'enfant ne voulut pas les décevoir. Il passa avec succès les épreuves de sélection, examens écrits et oraux, mises en situation, confrontations à d'autres enfants savants. Il se rendit compte que d'être sélectionné l'avait fait connaître à travers toute l'école. Il commença à goûter malgré lui aux plaisirs de la célébrité. Il osa même penser que cette corvée, qui consistait à passer à la télévision, vaudrait peut-être les inconvénients qu'il y avait à s'exhiber en public, par les bénéfices secondaires que lui apporterait le succès.

Il y eut, le jour de l'émission, un grand branle-bas à la maison. Lucien et Édith étaient en proie à une véritable fièvre: ils habillaient l'enfant, pareils à des domestiques vêtant leur maître vénéré, ils lui prodiguaient mille et un conseils et mots d'encouragement, ils savouraient à l'avance la victoire. Édith se montrait plus affectueuse que jamais; elle s'était parfumée à outrance, comme à toutes ses sorties importantes, et laissait son odeur sur l'enfant à force de le caresser, une odeur qui lui porterait peut-être chance, pensait Daniel, à moins qu'elle ne l'isole et ne l'empêche d'entendre les questions. En dépit de cette crainte superstitieuse, Daniel restait remarquablement calme; il était loin de partager la fébrilité de sa petite famille. Chose étrange, l'événement lui paraissait bien éloigné dans le temps, si éloigné encore qu'il en perdait sa réalité.

Au studio, on accueillit les enfants promptement; on les maquilla, au point que Daniel crut se découvrir un nouveau visage. Plusieurs étrangers lui parlèrent; on donna les ordres les plus divers, à lui et aux autres enfants qui participaient à l'émission; on leur expliqua les entrées, les sorties et d'autres éléments essentiels au spectacle. Lucien, Édith ainsi que l'institutrice, qui s'était jointe à eux, semblaient superviser le tout de leurs regards bienveillants. On leur demanda par la suite de quitter les lieux et de gagner leur place parmi le public déjà nombreux. Daniel voulut les retenir. Dès leur départ, il comprit que pour lui tout était perdu. Il vit les murs trop élevés du studio, les éclairages violents, les visages impassibles des techniciens affairés, les caméras, vicieuses, indiscrètes, les éclairages encore, les fils partout sur le plancher, le public, avide, méchant, qui chuchotait et s'énervait déjà, qui se fondait en une masse sombre derrière les éclairages, des éclairages impitoyables, inutiles, obsédants...

Le jeu commença. Un animateur poudré, à la voix grave et lointaine, possédé par une gestuelle euphorique on ne peut plus artificielle, bombardait hystériquement les jeunes de questions; il écorchait avec une splendide désinvolture les sujets les plus graves et pressait les enfants dans leurs réponses, autant qu'un patron sadique qui impose des cadences infernales à ses ouvriers. Les sujets les plus nobles volaient en éclats, les noms se succédaient comme dans une liste d'articles de quincaillerie, et les participants gagnaient des points à lancer ces noms à l'emporte-pièce, avec une majestueuse légèreté. Les points s'accumulaient comme une monnaie vulgaire, dans un tintamarre de clochettes, de sonneries électroniques et sous les hurlements des spectateurs.

Daniel regardait les autres enfants et les admirait. Il souffrait intérieurement, en même temps. Il se retrouvait en compagnie d'enfants au savoir immense, peut-être encore plus grand que le sien, en compagnie de garçons, de filles en apparence semblables aux autres enfants, aussi sérieux que les grandes personnes, certains ajustant des lunettes au verre épais, comme les siennes, d'autres blonds, heureux, sûrs d'eux-mêmes, pratiquant le charme des politiciens. Il se retrouvait avec eux tel un loup parmi les loups; il se disait qu'à toutes les semaines se succédaient sur les mêmes bancs des petits prodiges semblables à lui, qui jouaient à banaliser le savoir tout en se banalisant eux-mêmes, prodiges parmi tant d'autres, soumis, sous les feux de la rampe et le feu roulant des questions posées en rafales par l'animateur en folie, à une mise en marché de leur talent qu'ils acceptaient comme un éloge et qui les transformait, pensait Daniel, non pas en chair à canon, mais en vulgaire chair à spectacle.

À la fin de l'émission, après une longue et chaude lutte, l'équipe de Daniel avait perdu.

Daniel n'avait pas ouvert la bouche.

Un silence mortel régna pendant tout le temps du retour à la maison. Puis, lorsque le trio déçu franchit la porte d'entrée, Lucien éclata de rire et embrassa Daniel. L'enfant, quant à lui, se mit à pleurer.

Lucien tenta de se faire accroire que ce qui était arrivé était beaucoup mieux que la réalisation de ses espoirs naïfs, qu'il n'avait surtout rien à reprocher à son fils. Mais, pendant la soirée qui suivit, ses regards sur Daniel, qu'il voulait rapides, avaient à son insu le poids d'un soupir de léger découragement, d'une discrète et cruelle déception, et derrière tout cela se devinait l'absurde culpabilité d'avoir trop demandé à un être faible, d'avoir misé sur un enfant qui ne pouvait rien comprendre à l'inéluctable ambition de n'importe quel père. Lucien crut que Daniel n'avait rien deviné de ses pensées, mais Daniel perçut trop bien ces coups d'œil remplis d'amertume. Il ne put leur donner un sens précis; il sentit d'innombrables reproches, de ceux que l'on tait parce qu'on les sait inutiles, chargés de fatalisme, et d'autant plus terribles pour Daniel qu'ils projetaient de lui une image figée, désastreusement immuable.

Tous deux choisirent par la suite d'oublier cet épisode, de ne plus jamais en parler ou y faire allusion, comme un peuple tout entier parvient à oublier une défaite humiliante.

## Le bonheur

Environ un mois après ces événements, Lucien annonça à Daniel sa rupture soudaine et, croyait-il, définitive, avec Édith. La raison en était que, malgré ses efforts, en dépit des meilleures intentions du monde, il n'avait pas réussi à l'aimer. Édith n'accepta jamais cette décision. Elle revint régulièrement, pour essayer d'éveiller ce qui n'avait jamais pris forme, pour tenter de se convaincre que leur histoire, tellement simple et sans obstacle, ne pouvait logiquement se terminer sur un échec semblable. Lucien, docilement, daignait l'écouter et la laissait rêver. Il n'en affirmait pas moins que leur séparation était irrévocable.

Après cette rupture, Lucien fit preuve d'une sagesse qui lui était exceptionnelle. Il était devenu le père idéal, toujours présent et à l'écoute. Au cours de leurs soirées à la maison, Daniel lisait, Lucien peignait, image idyllique, pense maintenant Daniel, du couple père-fils parfaitement heureux, vivant d'un bonheur fait de la superposition de deux silences, celui des yeux de l'enfant lecteur qui glissaient sur les pages, et celui du père très serein devant ses toiles, qui réfléchissait, puis s'adonnait à son œuvre dans un délicat va-et-vient de l'esprit à la toile, de la toile à l'esprit, en remuant les lèvres doucement sans parler, pour permettre le transfert; ces deux silences simultanés, fondus, étaient pour Daniel une subtile communion aux dépens même de Lucien, et leur double projection, celle de Lucien sur la toile et celle de Daniel sur les différents personnages de ses livres, ainsi que les silences, se fusionnaient, et Daniel aimait croire que leurs âmes sorties simultanément de leurs corps se rencontraient dans un au-delà de la conscience, raffermissant ainsi les liens qui les unissaient, plus que le sang, plus que l'habitude, plus que l'amour.

Lucien avait entrepris depuis peu une série d'autoportraits, des tableaux plutôt mauvais puisque la ressemblance avec l'artiste restait fort discutable. Les tableaux étaient vaguement cubistes, d'un cubisme de mauvais aloi, qui cachait les faiblesses du dessinateur. Lucien n'avait retenu de son visage que les formes les plus évidentes, le visage long, rectangulaire, l'épaisse chevelure blonde, ébouriffée, rebelle, et le front, habituellement caché par la tignasse, ici très fort, proéminent, ombragé par des rides bien marquées qu'on retrouvait avec peine sur le visage du modèle. Lucien nomma cavalièrement cette série de tableaux *Portraits de l'artiste en train de réfléchir*. La pose était vaguement inspirée de celle du *Penseur* de Rodin, mais l'application à réfléchir du colosse était ici remplacée par une troublante impression d'angoisse, beaucoup plus proche de certains personnages d'Edvard Munch, comme si le peintre ne s'était pas contenté de montrer un visage occupé à réfléchir, et avait voulu donner un vague aperçu de ses réflexions, sans aller plus loin cependant, parce que les révéler aurait forcé le spectateur à partager quelque chose d'indécent, de cruel. Pourtant, Lucien présentait ses toiles avec joie et bonhomie; il les décrivait en riant très fort, comme s'il s'agissait de caricatures, comme si les états d'âme de son modèle — lui-même! — lui semblaient parfaitement inconnus et tout à fait risibles. Lucien expliquait que le fait de réfléchir exigeait un énorme effort qui devait s'exprimer sur la toile par une hideuse déformation du visage, celle qu'on voit sur le visage crispé d'un athlète au maximum de l'effort; mais, puisque l'acte de réfléchir provenait du cerveau, la déformation pouvait se concentrer uniquement sur le front, sur la chair qui le recouvre. Il s'appliqua dans ses nouvelles productions à augmenter le volume du front, au point d'abandonner toute ressemblance. Il voulut aussi accentuer les rides, puisqu'elles étaient finalement la seule représentation valable de l'effort de réflexion; il voulait des rides gigantesques, de visqueuses vagues de peau qui sortiraient de la toile pour se répandre dans la pièce, des rides montagnes envahissantes, qui étoufferaient l'artiste prisonnier sous la chair. Les dernières toiles de Lucien étaient horribles: on y notait un involontaire retour à l'abstraction par la représentation du front seul de l'artiste, un front à la peau mauve et rose, noire sous l'ombrage des rides; les plissures de la peau s'élevaient littéralement de la toile par un collage maladroit de papier mâché, le tout formant

un inquiétant gâchis dont Lucien prétendait être particulièrement fier.

DEUXIÈME PARTIE

# La mort du père

# Chapitre 5

Avant le troisième jour

La vie heureuse et insouciante de Daniel se trouva brusquement transformée alors qu'il était âgé de douze ans, une certaine journée d'automne, qui ne se distinguait en rien des autres, sinon que de gros nuages de pluie menaçaient à tout moment d'éclater. Comme d'habitude, Daniel essayait de réduire le plus qu'il le pouvait le temps du trajet entre l'école et la maison. Il sortait toujours le premier de la classe, et ce petit parcours d'environ dix minutes jusqu'à son logement lui faisait penser à un léger purgatoire à subir inévitablement avant de regagner la quiétude du foyer. Il essayait de rentrer le plus rapidement possible, en courant, ou en marchant vite, tout en s'évadant par la pensée, en se réfugiant dans des réflexions réconfortantes sur ses récentes lectures. Ces rêveries l'accaparaient jusqu'à ce que la maison soit en vue et qu'il puisse y deviner sa chambre. Alors il ralentissait le pas, pour retarder le plaisir et le rendre meilleur.

En automne, Daniel interrompait sa course à tous les tas de feuilles mortes. Avec de violents coups de pied, il dispersait les feuilles: il les frappait avec une feinte indifférence, mais avec rage, sans trop s'attarder, frappant au vol, à l'improviste, ne négligeant aucun de ces tas soigneusement amassés qui s'éparpillaient au gré du vent pour former un vaste tapis. Certaines feuilles s'envolaient très haut, légères, pour regagner les branches d'où elles provenaient, mais leur envolée, bien éphémère, les essoufflait. Elles retombaient doucement, comme elles étaient tombées une première fois et, après cette sombre fin d'après-midi, elles ne s'élèveraient probablement plus, car le temps était menaçant, et Daniel prévoyait une de ces pluies froides d'automne qui les alourdirait, les condamnerait à une deuxième mort, celle-là beaucoup plus vraie, hélas, parce que ces feuilles laides et pesantes, promises à une décomposition rapide, n'existeraient plus aux yeux de Daniel.

Lorsque Daniel entra dans la maison, Lucien n'y était pas. Cela n'avait rien d'exceptionnel et l'enfant s'adonna à ses activités habituelles. Il s'interrompait parfois dans ce qu'il entreprenait parce qu'il cherchait à capter, parmi tous les bruits légers, à peine perceptibles, qui perçaient les murs, les sons annonciateurs de l'arrivée de Lucien. En cette fin d'après-midi, son attente fut vaine: Lucien n'arrivait pas. Alors Daniel fit ce qu'il osait toujours faire lors des absences prolongées de son père. Il allait s'établir dans la chambre de Lucien pour y lire; il s'installait confortablement dans le fauteuil du père, vêtu de la robe de chambre qu'il trouvait inévitablement sur le lit défait. Au moment où il allait commencer à lire, il sentait son cœur battre; ses yeux voyaient les lignes danser et les lettres bouger: l'esprit de la chambre et ses mystères commençaient à peser sur lui. Alors, avec la mauvaise conscience d'un criminel — car, selon sa propre morale, il commettait réellement un crime —, il entreprenait une exploration méticuleuse de la chambre. Son cœur à ce moment battait encore plus fort, à tout rompre, au point de lui donner l'impression qu'il pouvait éclater dans sa poitrine, de lui faire craindre que le son des battements en vînt à couvrir les bruits de la maison, auxquels il se devait d'être plus attentif que jamais. Les bruits qui parvenaient jusqu'à lui l'effrayaient et le forçaient à prendre une pose naïve qui arriverait à l'innocenter. Après avoir tremblé de peur, il se jurait de ne plus recommencer, mais quelques minutes plus tard il continuait, il poursuivait sa quête, possédé, espérant trouver des objets, des écrits ou des livres qui révéleraient chez son père une nature secrète, dont la découverte serait cruciale pour l'enfant. Lucien n'avait posé aucune interdiction en ce qui concernait sa chambre: Daniel était libre d'y aller et venir comme bon lui semblait, mais le respect du fils pour le père faisait de cette chambre un habitacle privilégié auquel il ne devait absolument pas avoir accès et qu'il évitait effectivement quand son père était présent. Il imagina une complicité entre la chambre et Lucien; il supposa que Lucien y déposait des livres maudits, un journal intime rempli de douloureuses confidences, beaucoup plus étonnantes que celles que lui faisait habituellement Lucien, et qui lui permettrait de découvrir — il le souhaitait et le craignait à la fois — un père insoupçonné, un homme autre que celui des apparences, qu'il devait absolument connaître, parce que cet inconnu serait sans aucun doute le véritable Lucien, celui dont il serait un jour moralement l'héritier.

Ses explorations restaient vaines. Il ne trouvait que des objets d'une désolante quotidienneté, toujours les mêmes, jamais à la même place; il ne sentait à travers eux qu'une présence physique, celle d'un homme dans la force de l'âge, un homme sain comme il serait appelé à le devenir, même s'il vivait avec l'impression que son enfance n'aurait pas de fin. L'air de la chambre était celui d'une «masculinité», et la masculinité son seul mystère. Daniel, impressionné, se sachant prédestiné à cette même masculinité, se demanda longtemps par quel apprentissage il pourrait à son tour y parvenir.

Rien n'échappait à Daniel, au point que la chambre aurait dû se transformer en un remarquable sens dessus dessous; mais, parce qu'elle se distinguait à l'avance par un désordre exemplaire, peu des déplacements de vêtements, d'objets ou de vieux papiers qu'y effectuait Daniel auraient pu attirer l'attention; pourtant, en espion consciencieux, l'enfant replaçait tout dans le même désordre, respectant les moindres plis des tissus et la disposition des feuilles éparses, essayant de reconstituer le mieux possible le chaos originel. Ces recherches étaient à son avis une violation de l'intimité de Lucien et, s'il est probable que Lucien aurait ri de bon cœur à voir Daniel empêtré dans ses pénates, Daniel serait mort de honte à se faire prendre sur le fait, ou à laisser quelques indices amenant Lucien à posséder la preuve de son indiscrétion (si le crime n'existait que dans sa conscience, il n'en demeurait pas moins pareil à un véritable crime, moralement supportable à condition qu'on ne se fasse pas prendre).

Les craintes de Daniel, cette journée-là, furent bien inutiles: Lucien ne rentra pas. Le lendemain, à son réveil, Daniel le chercha partout, dans toutes les pièces, et même sous les chaises, les lits; il le héla bien fort, plusieurs fois, puis il partit pour l'école, haussant les épaules. À son retour, Lucien était encore absent.

Daniel en fut pour le moins surpris. Jamais auparavant son père n'avait découché sans avertir. L'enfant ne savait trop qu'en penser. Puis, tout à coup, il se sentit pénétré par un sentiment de fierté: il se voyait à la place de son père, en adulte enfant, en adulte dans un corps d'enfant, possesseur à lui seul de ce magnifique logement dont il se croyait le maître absolu, et maître aussi de ces gens qui servaient son père — facteur, plombier, concierge, fournisseurs, etc.; ainsi, phénoménalement jeune et muni de tant de pouvoirs, il se voyait admiré de tous et promis au plus brillant avenir. Daniel chassa sans honte Lucien de son univers. Parce qu'il se croyait maintenant suffisamment fort, il voulait mener la vie d'un véritable prodige, celle d'un enfant seul au monde, grave et orgueilleux, imposant sa fantaisie et sa fraîcheur à son entourage; il serait l'enfant seul parmi les grands, telle une fleur parmi les ronces, et tout ce qu'il ferait serait couronné par le seul mérite de sa jeunesse. Lucien mort, ou mieux, Lucien parti, Lucien pénitent ou pèlerin, saint patron des pères qui abdiquent, ne pourrait plus imposer par sa seule présence l'autorité séculaire des pères (si ce type de rapports entre un père autoritaire et un enfant soumis ne correspondait pas à ce qu'on aurait pu d'abord observer dans les relations entre Lucien et Daniel, la seule pensée que les autres, parents, amis, camarades, obéissaient probablement à ce schème considéré comme universel suffisait à rendre la présence de Lucien insupportable). Sans Lucien, Daniel jouissait d'une liberté corruptrice, au point que, si l'occasion lui en avait été offerte, il aurait renié son père avec joie.

Ce rêve d'une folle liberté s'atténua face à des contingences accessoires, entre autres la faim qui le déchirait. Le garde-manger était vide et Daniel était d'une telle maladresse dans une cuisine qu'il restait bien souvent aussi dépourvu dans un lieu plein de victuailles qu'un chat devant la porte fermée d'un réfrigérateur. Parce qu'il était un enfant lunatique et créateur de rêves, il avait négligé d'apprendre ce qu'il considérait comme des détails matériels, les moyens de survie les plus élémentaires, laissant son père s'en charger, d'abord et avant tout père nourricier.

Il ressentit encore plus durement l'absence de Lucien au moment où il dut se coucher et faire face à toutes ses craintes, réprimées avec le jour et son prolongement artificiel, les lampes qu'il avait allumées partout dans la maison. Les angoisses revenaient, fidèles, comme le spectre d'un dragon que son père avait le pouvoir de faire disparaître par sa seule présence. Lucien absent depuis deux jours, le spectre s'était montré timidement la veille, puis était revenu le lendemain, sûr de lui, horrible, et Daniel n'osait crier parce que, sachant que ses cris n'effrayaient personne, il n'en resterait que le ridicule et l'offense faite au silence de la maison. Daniel endurait son calvaire comme un martyr au bûcher, attendant, avec toute la sérénité dont il était capable, le grand sommeil libérateur.

Le lendemain, Daniel ne chercha plus Lucien. Ne sachant s'il fallait être inquiet ou insouciant, il choisit l'insouciance, parce que cela était forcément plus agréable. L'après-midi, à l'école, à cause d'un problème d'électricité, on libéra les enfants beaucoup plus tôt que d'habitude. Daniel s'inquiéta de rentrer chez lui, sachant que l'absence de son père, si elle se prolongeait, pourrait avoir d'étranges effets sur sa vie. Et aussi, conséquence plus immédiate, il dépérissait, sans argent, affaibli par la faim, au point d'en avoir des hallucinations.

## Le pendu

Et c'est ce dont il crut être victime, d'une solide et affreuse hallucination, lorsqu'il vit en rentrant à la maison son père pendu sous la poutre qui coupait en deux le salon. Lucien se balançait les yeux ouverts au bout d'une corde, secoué par un grand vent qui faisait claquer ses bottes pour lui faire soutenir le rythme de sa propre marche funèbre, qui lui soulevait les cheveux pour lui faire une auréole en hommage, et qui hurlait, sinistre, de ces mêmes grands cris contenus dans la tête de Daniel. Daniel se crut transporté sur une colline désolée, pas très loin d'une ville du Moyen Âge, où il serait normal de voir des pendus. Il eut l'impression de découvrir Lucien au gibet parmi des criminels, alors que lui-même, enfant de la ville, n'aurait que la surprise d'y distinguer son père. Daniel sortit la mort de son père de sa réalité, et le fait de sentir la chair de Lucien encore chaude, de la sentir pareille à celle de Lucien bien en vie, aurait pu lui permettre de le faire revivre. Pourtant, Daniel n'en doutait plus: Lucien sans âme, muet, immobile, était bel et bien mort, irrémédiablement, et cela avant même qu'il ait pu sérieusement envisager que son père puisse mourir bientôt. Daniel, si mal préparé à cette mort, et certainement encore récalcitrant à en admettre la pleine réalité, resta parfaitement calme. Il alla à la cuisine pour y chercher l'énorme couteau de boucher, coupa la corde juste en haut du nœud. Le corps s'affala lourdement sur le plancher. Daniel étendit la dépouille, versa une larme puis, couché de tout son long sur le cadavre, il s'endormit.

Il fut éveillé par des bruits de pas, suivis par l'entrée en coup de vent de Louise. Comme s'il eut été pris sur le vif à commettre un méfait, il la regardait, la fixait, immobile, stupide, paralysé. Louise crut voir un chien fidèle à la mort de son maître, veillant sur le cadavre jusqu'à ce qu'il se décompose, un chien en grande peine, féroce, dangereux pour tous ceux qui s'approcheraient. Louise ne s'attendait pas à trouver Daniel si tôt à la maison. Lucien lui avait téléphoné juste avant de mourir pour qu'elle prenne soin de son corps, le parfume, l'étende sur un lit qu'elle couvrirait de fleurs. Il l'avait appelée pour qu'elle prépare le terrain et que Daniel le découvre mort, les yeux clos et un sourire à peine perceptible sur les lèvres, dans l'espoir que sa tante pourrait expliquer ce geste. Il avait rêvé que se dégage de son visage une impression de sérénité majestueuse, pareille à celle qui se lit sur le visage des gisants des Plantagenêts à Fontevrault, dont le souvenir en Daniel défierait le temps. Il voulait que son enfant comprenne qu'il était entré dans la mort bien calmement et par sagesse, suivant l'exemple des stoïques Romains dont Daniel lui avait parlé; tout cela devait se produire, Daniel devait l'accepter comme une épreuve qui leur apporterait à tous les deux une nouvelle félicité.

Daniel n'a évidemment rien oublié de cela. Il qualifie ses souvenirs de spectres et, bien qu'il prétende les fuir, les éviter avec horreur, ou au contraire, bien qu'il veuille les classer froidement, se faisant accroire qu'ils restent légèrement perturbateurs parce que, croit-il, ces spectres fuient un certain rationalisme comme de véritables fantômes s'évanouissent aux premiers rayons de l'aube, ils reviennent sans cesse faire leur petit malheur, tourmenter Daniel désarmé, qui se rend aisément à eux, car il les garde soigneusement en lui et parfois les invite, quand il cherche certaines formes d'autopunition, ou tout simplement parce qu'ils font partie de sa vie. En cela, son attitude est semblable à celle du descendant d'une lignée maudite qui se complaît dans la maison de ses ancêtres. La mort précoce et imprévue de son père est le malheur de sa vie. Daniel aime ce malheur malgré toutes les peines qu'il en a ressenties et en ressent encore; il l'aime parce qu'il reste indispensable à l'être qu'il est aujourd'hui devenu et, si Daniel ne souffre pas d'amour-propre, il frémit à l'idée qu'il aurait pu devenir un être différent de ce qu'il est, un étranger, un homme du genre qu'il déteste. S'imaginer différent, pour Daniel, aussi absurde que cela puisse paraître, signifie devenir identique à une de ces personnes qu'il voit de l'extérieur, à qui il ne parvient pas à attribuer de véritable vie intime.

Daniel assista aux obsèques de Lucien. Ce furent de grandioses funérailles, belles et grotesques, comme Lucien lui-même n'aurait pas osé les imaginer: d'abord, précédant un cortège si long qu'on n'en voyait plus la fin, s'avançait le cercueil de Lucien, enseveli sous les fleurs, tiré par quatre magnifiques chevaux; marchaient immédiatement derrière les amis de Daniel, les amis de Lucien, la famille, tante Louise, son mari, Alexandre, puis Mathilde, Édith et des femmes très belles, les autres femmes, nombreuses, que Lucien avait aimées; suivait une foule bigarrée, folle, formée de tous ceux que Daniel avait connus dans les livres, des pirates, des héros, des bandits, des saintes avec leurs auréoles, quelques empereurs romains, des tyrans, des animaux parlants, des princes et des princesses, tous d'une solennité feinte, l'air tragique pour l'événement; au milieu de tout ce monde, se mêlait la musique, jouée par un orchestre de Noirs de la Nouvelle-Orléans, qui chantaient et enchaînaient des hymnes religieux et des marches funèbres. La musique ressemblait à celle que Lucien écoutait la nuit alors que Daniel, bien au chaud dans ses draps, cajolé par le jazz, luttait contre le sommeil pour profiter de ces moments de bonheur. Le jeu du trombone, rauque, saccadé, lui rappelait le rire de Lucien, les éclats superbes qu'il associait à son deuxième anniversaire et qu'il entendra probablement encore à son dernier souffle, juste avant sa mort. Partout on sentait une atmosphère de carnaval, de fête contenue, étouffée, non pas par respect pour le mort, mais pour les conventions, pour jouer le jeu de la tristesse, comme dans certaines fêtes on respecte les rites, parce que l'on croit alors assister à quelque chose d'unique. Le convoi marcha jusqu'à une porte dans le ciel que Daniel crut être la porte du paradis. Un second Lucien ouvrit la porte pour s'y accueillir, Lucien recevant Lucien pour l'éternité, spectacle fascinant pour Daniel que de voir son père dédoublé qui se donnait l'accolade avant de disparaître à tout jamais; et tout le convoi franchit le seuil, s'engouffra avec Lucien derrière la porte, laissant Daniel seul et malade, dévoré par le chagrin, au point d'en mourir lui aussi.

## La maladie

Daniel ne pourrait dire combien de temps dura sa maladie, ni en donner une juste description. Cette maladie fut un véritable black-out, un sommeil troublé par des cauchemars dont il n'arrive pas à se rappeler. Il en a si peu de souvenirs que les souffrances physiques — maux de tête, fièvre, vomissements, nausées — paraissent plus absentes de sa mémoire que les maux plus légers qu'il éprouvait lors de ses bénignes grippes d'enfant, l'hiver, quand Lucien le soignait avec zèle. Ainsi Daniel ne saurait décrire la trajectoire qu'il a parcourue entre la maison de son père et celle de ses parents adoptifs, sinon par les personnes qu'il crut voir vaguement en de rares moments de lucidité, Louise, avec Alexandre et son oncle, puis des gens assez âgés, un couple qu'il ne connaissait pas, et le médecin, avec ses amers élixirs que Daniel refusait. Les visites de Louise et celles des vieillards inconnus alternèrent. Ces derniers vinrent de plus en plus souvent, prirent la place de Louise, ce qui fit croire à Daniel qu'il ne logeait plus chez sa tante. Il en fut convaincu, aussi, parce qu'il cessa d'entendre Alexandre répéter ses pièces de violon, instrument que son cousin maîtrisait à merveille, et au moyen duquel il interprétait des airs déchirants, avec un jeu bouleversant, qui laissait entrevoir chez lui une profondeur que Daniel ne soupçonnait pas. Ces tristes mélodies resteront le dernier souvenir associé à son cousin, qu'il ne reverra presque plus — souvenir de sa maladie aussi, puisqu'il sera atteint de nausée chaque fois qu'il entendra la mélancolie d'un violon seul (Daniel tient cependant à considérer cette expérience comme heureuse; il croit que sentir son passé ramené avec force, même s'il s'agit d'une période particulièrement sombre, ne peut prendre place parmi les sensations désagréables). Son transfert lui fut d'ailleurs confirmé un jour que sa maladie sembla lui laisser quelque répit. Louise lui apprit, comme s'il s'agissait d'un événement heureux, sa toute récente adoption par ces gens très gentils, par cet «oncle», par cette «tante» que Daniel se rappela avoir vus sans qu'il puisse y

accoler quelque souvenir précis, son adoption par ces gens très
gentils que son père aima, paraît-il, beaucoup, et à qui il avait
lui-même demandé, en cas d'accident ou de mort «imprévue»,
de prendre en charge son fils, parce qu'il avait en eux une
confiance illimitée. Pendant que Louise continuait ainsi,
énumérant une série d'éloges qu'elle tenait, disait-elle, de
Lucien, Daniel examina du mieux que le lui permettaient ses
maigres forces le visage de ces gens qui venaient par cette
présentation sans cérémonies d'entrer officiellement dans sa
vie, qui avaient probablement choisi de s'imposer à lui en tant
que bienfaiteurs, alors que Daniel ne pensait qu'à les chasser de
sa vie comme des misérables. Il essaya pourtant de chercher sur
leurs visages sévères quelques signes de sympathie qui puissent
présager un peu de calme pour son avenir, qu'il ne pouvait
s'empêcher de voir aussi triste et morne qu'un éternel
crépuscule.

# Chapitre 6

## Les parents adoptifs

Daniel ne savait pas quels avaient été les liens entre son père et ses tuteurs. Peu curieux à leur sujet, il se contentait de les observer de loin pendant une convalescence qu'il essayait tant bien que mal de prolonger; il se demandait si ces gens avaient véritablement un lien de parenté avec lui, puis écartait rapidement la question, la considérant dénuée d'intérêt. Il ne sut leur petite histoire que par la bande, beaucoup plus tard, au cours de conversations recoupées et de témoignages de l'extérieur.

Il s'agissait d'un vieux couple de musiciens, sans enfants, toujours profondément épris l'un de l'autre, d'un amour calme, encore si fort que, disait-on, l'un des époux n'aurait pu survivre à la mort de l'autre. L'épouse avait été cantatrice; elle avait mené une carrière relativement respectable, se produisant sur les scènes locales. Elle avait atteint ce qu'elle avait cru être son sommet avec le rôle de Despina dans *Cosi Fan Tutte,* alors qu'elle avait été invitée par une grande maison d'opéra à l'étranger. Ce rôle lui valut l'éloge de la critique, mais aucun de ces alléchants contrats auxquels elle avait encore osé rêver comme une débutante à ses premières auditions. Sa voix s'était depuis éteinte, et la dame se rabattait sur ses souvenirs, ceux d'une carrière dont elle ne pouvait dire si elle avait été médiocre ou réussie, souvenirs qu'elle ne croyait pas avoir accumulés en quantité suffisante (mais elle en avait un insatiable appétit), et qui laissaient ce fameux doute sur son talent: avait-elle été une cantatrice honnête, réjouissant les habitués des salles de concert de la ville, la mozartienne, la schubertienne de service, ou une chanteuse de grande envergure qui n'avait eu pour l'aider ni professeur génial et dévoué qui aurait découvert, puis exploité sa voix comme un entrepreneur audacieux une mine cachée et féconde, ni de ces étranges concours de circonstances faits de hasards et de clins d'œil bien placés qui hissent des artistes pourtant moins doués sur les plus grandes scènes? Elle avait en son mari, fin mélomane, auditeur sensible, son plus fervent admirateur, et l'admiration de ce connaisseur valait pour elle plus que celle de bien des publics; ainsi poursuivaient-ils tous deux leur existence avec une illusion — mais en était-ce vraiment une? Lui avait la conviction de vivre avec une des grandes voix de l'époque, une voix qui, comme un trésor secret, était ignorée de ceux qui auraient dû en profiter. Il l'avait à lui tout seul et, conscient de sa chance, il savait en tirer avantage au maximum. Elle se berçait à l'idée d'être bel et bien la grande artiste qu'elle avait toujours voulu devenir et se l'entendait confirmer quotidiennement, avec sincérité. Il lui arrivait encore de chanter, et sa voix, beaucoup moins souple qu'autrefois, gardait le timbre frêle d'une voix de jeune fille, si légère qu'elle se brisait parfois comme un voile trop fin se déchire au contact des mains les plus délicates, et ce délicieux déchirement de la voix, miracle qui se produisait toutes les fois qu'elle entonnait la cavatine d'Agathe du *Freischütz* de Weber était une subtile illustration sonore de ces émotions qui, trop subites et trop délicates pour s'exprimer par des mots, restent douloureusement contenues dans le fond de la gorge.

Le mari avait été un humble professeur de musique à la même école que Lucien, mais il n'enseignait plus depuis quelques années. Il avait été un grand ami de Lucien à l'époque. Lucien et lui ne se voyaient jamais hors des murs de l'école. Depuis que le professeur était à la retraite, Lucien avait maintenu le contact, très épisodiquement. Ce genre d'attachement, peu habituel pour Lucien, montrait toute l'estime qu'il avait gardée pour le vieux professeur. L'homme avait voulu se retirer de l'enseignement le plus tôt possible parce que, considérant cette vieille opposition entre le temps et l'argent, il avait préféré avoir à lui le plus de temps possible, afin de se sentir libre, de se consacrer entièrement à la musique. Il vivait donc littéralement enveloppé de musique, transporté, parce que la musique était pour lui une fin en soi et que tout genre de travail, y compris celui de professeur de musique, devenait un écran insupportable entre lui et sa passion. Il avait pourtant connu certaines joies à enseigner, procurées par ce qu'il nommait son complexe de Pygmalion, qui l'amenait à choisir dans la classe un ou une élève (au moyen de critères aléatoires mais, dans la plupart des cas, à cause d'un intérêt marqué de l'élève pour le professeur), qu'il couvait, instruisait, modelait comme un bloc de marbre, tâchant d'en faire une concrétisation de l'idéal du musicien tel qu'il se l'était fixé, et de voir ce musicien formé par lui comme le sculpteur de la légende avait fait une statue de ses rêves, obtenir d'incomparables succès et réussir en tant que double de lui-même. Une deuxième étape, en conformité avec la légende de Pygmalion, aurait dû lui permettre de s'unir à ses élèves, du moins à ses étudiantes douées, mais le professeur avait l'affection strictement paternelle; fort intéressé au sort de ses élèves, il se mariait par procuration toutes les fois que ses favorites semblaient connaître un certain bonheur amoureux. Ces discrètes, ces imaginaires infidélités, loin d'ébranler sa vie conjugale, lui fournissaient cette part de rêve qui l'attachait encore plus à son épouse, comme un lecteur de romans d'aventures qui ne souhaite plus quitter son salon.

## Le deuil

Daniel avait d'abord voulu vivre en excluant le couple de son monde. Il le fit malgré lui, car la mort de Lucien occupait toutes ses pensées, et lui, qui ne pouvait agir et avoir de véritables liens avec l'extérieur que s'il avait d'abord en lui-même délibéré sur ses préoccupations puis résolu l'essentiel de ses tracas, ne voyait plus la fin des questionnements qu'apportait la mort de Lucien. Daniel, qui, par certaines gymnastiques de l'esprit, avait appris à séparer problèmes et émotions, ou plutôt à traiter certains de ses sentiments comme des problèmes, se sentit pour la première fois complètement dépourvu, puisque chaque fois qu'il essayait d'établir un équilibre entre la réflexion froide et sa sensibilité, les émotions bousculaient la pensée, imposaient leur rythme, leur cadence forcenée, de sorte que, incapable de fixer quoi que ce soit, il ne pouvait faire autrement que d'assister en spectateur à ces déferlements intérieurs. Et le mouvement de son esprit était cette fois un mouvement perpétuel, qui éliminait toute possibilité de changement.

Ce qui préoccupait Daniel n'était pas la possible révélation de tourments reliés à la mort; bien que n'ayant jamais été témoin d'une mort avant la disparition de son père, il s'était créé chez lui, en même temps que naissait la conscience d'exister, la certitude terrifiante qu'il disparaîtrait lui-même un jour et, si la mort de Lucien faisait ressortir cette angoisse qui n'avait jamais été refoulée, cela n'avait rien de l'affreux choc d'une révélation, surtout que les à-côtés de la mort de son père, qui provoquaient ces réflexions que Daniel qualifiait de peu importantes face au vertige qu'engendrait la peur de la mort — pensées au sujet des conséquences de l'absence de Lucien et des raisons de son suicide, ou fabulations sur sa vie future —, venaient se superposer et atténuer les angoisses fondamentales. Ce qui étonnait le plus Daniel était que Lucien aurait dû être la dernière personne à disparaître. Il avait même prévu pour son père une vie plus longue que la sienne: il imaginait Lucien vieillard veillant sur le cadavre de Daniel mort à un âge avancé, lui survivant pour bien observer la marche du monde et la commenter avec son grand rire, ou pour perdre complètement la raison et fuir en quelques années de folie heureuse les atroces inquiétudes provoquées par les signes avant-coureurs de la fin.

La mort de Lucien avait pris tout le monde au dépourvu et son caractère inexplicable, voire illogique, choqua ses proches plus qu'il ne les attrista. Lucien n'avait en apparence aucune raison de se tuer: nul échec professionnel ou financier, nulle déception amoureuse récente ou importante. Il n'avait pas laissé une de ces lettres de suicidés qui viennent clore la mort volontaire comme les rideaux une pièce de théâtre, qui font de la mort un acte fini, et permettent aux proches, munis de l'indispensable «explication», de penser à autre chose. Toutes les spéculations à propos de Lucien étaient permises et on s'en donnait à cœur joie. Daniel, lui, croyait que son père avait agi en artiste; il avait agi tel un écrivain, un peintre ou un compositeur qui ne veut rien révéler de la marche de sa création, pas même révéler qu'il est en train de créer, parce qu'incertain de la valeur de son œuvre, conscient de l'indécence de ses tâtonnements, il veut présenter au public une œuvre totalement achevée, jugée en bien ou en mal, mais avec un minimum d'idées préconçues. Lucien, bien que tourmenté, avait caché le moindre de ses tourments et, ayant si bien réussi l'exposition de son corps pendu dans l'appartement, avait fait de sa mort un chef-d'œuvre.

La disparition de Lucien, deux jours avant sa mort, préoccupa particulièrement Daniel. Quelles avaient été les errances de Lucien? Le mystère restait entier. Daniel aimait croire que le corps de son père ayant disparu par quelque prodige, son âme avait vagabondé pendant trois jours, affligée des péchés des hommes (ou de ses propres péchés), hésitant entre la vie et la mort, puis déçue de ce qu'elle avait vu grâce au pouvoir qu'ont les âmes libres de percevoir dans le monde des éléments de rédemption ou de terreur, elle avait fait revenir le corps pour l'assassiner délibérément et mourir elle aussi par le fait même. Lucien était mort un vendredi, imaginait Daniel, par le fer d'une lance invisible, à l'insu de tous, et le troisième jour, par la réapparition de son corps non ascendant, suspendu, pétrifié, il avait voulu affirmer sa non-résurrection, le caractère inéluctable de sa fin.

Daniel essayait de se dégager de la mort de Lucien, de la comprendre comme si elle tout à fait extérieure à lui-même, de ne voir aucune intervention de sa part dans le mécanisme qui avait conduit Lucien à son suicide. Pourtant, en lugubre leit-motiv, lui revenait cette idée qu'il avait osé souhaiter la mort de son père, au moins sa disparition définitive, cela même pendant les trois jours qu'avait duré l'absence de Lucien, et par cette association que se font les enfants lorsque certaines réalités coïncident avec leurs pensées les plus secrètes, il en vint à se demander s'il était coupable de la mort de son père. Il fut aussi possédé par cette crainte absurde de voir l'espace de ses pensées intérieures, ce qu'il croyait être le seul retranchement inviolable de sa personne, exposé aux yeux de tous, au point de ne peut-être jamais pouvoir vivre en intimité parfaite avec lui-même. Aujourd'hui, ces terribles pensées ont disparu, même s'il s'efforce d'éviter certaines réflexions en présence d'autrui. Mais le sentiment de culpabilité engendré par la mort de son père persiste encore, coriace. Daniel parfois s'accuse de cette mort; il se choisit coupable de la même manière que certaines justices trouvent nécessairement un coupable à un crime; il s'attribue la faute par raisonnement, de la même manière qu'un accusé innocent en viendrait à croire à sa culpabilité en écoutant le discours sans faille des accusateurs; mais, sachant fort bien que tout cela reste absurde, il parvient à vivre, avec l'assurance du criminel aux secrets bien gardés.

Il se surprit à s'accommoder de sa nouvelle vie. Alors qu'il avait cru pendant sa maladie que le monde basculerait à jamais, il se rendit compte qu'il répétait des gestes quotidiens, des habitudes nouvelles, sans y réfléchir, sans s'attarder à la nou-veauté de ces gestes, comme s'il les avait faits depuis toujours. Il passait en revue son passé, sa vie chez son père, sa maladie, sa nouvelle vie, et il lui semblait que la maladie avait été le passage nécessaire qui avait éteint temporairement la con-science, séparant les deux mondes pour présenter deux vies superposées qui n'avaient en définitive qu'une même con-science en tant que dénominateur commun. Il eut à nouveau la forte impression de voir sa vie régie par un autre que lui (alors qu'il avait cru peu auparavant en avoir si bien la maîtrise), par un grand rouleau pareil à un livre déjà écrit, apprendra-t-il plus tard, ou plus abstraitement par ce destin qui s'immisçait si fréquemment dans les lectures et si brusquement dans sa vie. Daniel apprendra à considérer tout ce qui lui arrivera par la suite comme «naturel», dans l'ordre des choses, et cela étouffera une certaine révolte qu'il aurait crue inévitable.

Ainsi s'apaisèrent les effets de la mort de son père. Mais, alors qu'il crut sincèrement pendant un certain temps avoir classé l'affaire, il sait aujourd'hui que, tel un feu de braise qui sous un sol mou enflamme les racines des arbres, la disparition de son père, sous le couvert d'une dédramatisation raisonnable, agira longtemps sur lui. Ne pouvant dire exactement comment, il la voit encore semblable à un «danger» — en ce sens qu'elle garde le pouvoir de déclencher certaines actions ou pensées qui lui échappent et dont il redoute les conséquences —, un danger avec lequel il aurait pourtant appris depuis longtemps à pactiser.

## Sans famille

Revenu de ses peines, Daniel décida de prêter attention à ses parents adoptifs: d'une indifférence involontaire, consé-quente de ses conflits internes, il passa à une indifférence soi-gnée, calculée, dans le but avoué de décevoir. Il décida de mener une longue grève d'affection, non parce qu'il n'acceptait pas ses nouveaux parents (ils faisaient partie de ces nouvelles fatalités qui régissaient sa vie; il se voyait, lui, pareil à une feuille morte emportée sans résistance par le faible courant d'un caniveau), mais parce qu'il sentait que le seul moyen de s'af-firmer au milieu de tout ce qui lui arrivait était la haine voilée qu'il posait sur ses tuteurs comme un graffiti sur un mur sombre. Là où il avait cru viser juste, Daniel se rendit compte qu'il n'avait heurté que du vent: ses tuteurs n'étaient pas des parents en mal d'enfants; ils lui rendirent son indifférence, froidement, posément, ainsi qu'on rend la politesse, et, tout en remplissant parfaitement leur devoir de pourvoyeurs, ils lui firent comprendre que leur vie, avec ou sans lui, ne dévierait pas de ce calme bonheur qu'ils s'étaient si patiemment construit au fil des ans. Daniel apprit à accepter leur présence discrète; il comprit toutefois qu'il était seul au monde, et cela lui donna un sentiment d'exaltation, parce qu'il fut possédé par le sentiment de vivre une liberté parfaite. Le temps passé avec son père lui avait donné l'envol nécessaire lui permettant de se dispenser de ceux qu'il nomme aujourd'hui les «pourvoyeurs affectifs» et, face à face avec lui-même, il ne sentait plus aucune contrainte. Il croyait pouvoir jouir d'une liberté sans bornes, n'ayant ni le désir ni l'imagination de faire ce que la société interdit.

Ses contacts avec ses tuteurs se réduisirent à des conversations purement pratiques; ils étaient de part et d'autre paralysés par la crainte de trop s'approcher, par la volonté de se ménager un espace vital que tous souhaitaient dans le fond voir disparaître. Mais la présence de ses nouveaux parents s'avéra beaucoup plus envahissante que Daniel ne l'avait prévu, à cause de leur musique, qui perçait les murs, qui avait remplacé le jazz de son père et le violon d'Alexandre, et à cause de leur présence physique, inévitable, de leurs corps de vieillards, silencieux comme leurs ombres qui glissaient au-devant d'eux, ou qui se camouflaient, légères, révélant brusquement de nouveaux corps sans ombres, plus secs, décharnés. Ces gens étaient encore plus présents dans leur absence; n'étant plus situés dans une pièce ou dans l'autre, ils pouvaient surgir de partout, sinistres et fantomatiques et, comme des fantômes, ils ne se couchaient pas la nuit: ils circulaient d'une pièce à l'autre avec l'œil hagard de dormeurs éveillés; Daniel, la nuit, ne sortait plus de sa chambre, car inévitablement il se heurtait à ce qu'il croyait être non plus des corps sans ombres, mais des corps sans âmes.

Quant à la musique, elle pénétrait partout: elle était dotée d'une ubiquité que les corps n'obtiendraient jamais malgré les pouvoirs néfastes de l'imagination. Elle envahissait l'espace, sournoise; elle ne flottait plus dans l'air, souple comme le jazz que Lucien écoutait la nuit: elle suintait le long des murs, glissait, luisante, sur les parois de la chambre de Daniel comme l'humidité dans un cachot. Elle enveloppait toute la maison de son étrange humidité, celle d'une froide journée de brouillard à Londres, alors que la pluie n'arrive pas à percer. Et les voix, irréelles, au souffle imperturbable, possédaient un pouvoir de pénétration quasi physiologique, puisque Daniel croyait qu'elles agissaient directement sur lui, qu'elles causaient ces fréquentes migraines qui le saisissaient trop souvent. Ces voix chantaient Wagner, Richard Strauss, Mahler, Berlioz, ce romantisme que Daniel qualifie faussement de décadent, à cause de la longueur de certaines phrases qui sont, hors d'une durée proprement calculable, celles d'une superbe agonie, d'une lucidité extrême avant la fin, la fin d'une époque, mais aussi d'une musique en apparence trop intense pour coller à quoi que ce soit, n'ayant rien à décrire sinon sa propre mort. Cette vision erronée, Daniel la conserve vaguement; il se souvient que lors des premières auditions chez ses tuteurs, il fut victime de ces impressions et les détesta. Autre sensation, celle-ci non durable: cette musique était liquide. Ce qui avait le plus étonné Daniel lorsqu'il y fut confronté, c'était que la musique échappait au pouvoir des mots, qu'il semblait impossible d'associer aux impressions produites par elle un vocabulaire réellement précis. Il en était réduit à une étrange association qu'il ne parvenait à expliquer: la musique était «d'eau», et cette absurde constatation fut le premier pas qui lui permit de la comprendre. Daniel découvrit qu'à ces sons se moulait une histoire, que l'histoire n'était plus une fin en soi, mais que, transportée par les notes, elle les générait en même temps, au point de donner l'illusion de disparaître alors qu'elle existait toujours. Elle pouvait se comparer à un pâle reflet sur une vitre qui donnerait les images superposées d'une Allemagne imaginaire, par exemple, et de visions purement abstraites. Daniel découvrit une nouvelle féerie, un univers d'une lenteur, d'une simplicité qui n'avait d'autre destinée que d'aller droit à l'essentiel, un univers où s'affrontaient les plus puissantes mythologies. Daniel s'amusait à dresser des liens entre tout cela, Dieu au-dessus des dieux, armé de sa seule ignorance; il les unissait dans d'éphémères Walhalla qui s'écroulaient aux derniers accords de l'orchestre. Et les sons, de sauvages et sévères qu'ils étaient, se domptaient d'eux-mêmes, se répétaient, lui caressant l'oreille et provoquant un véritable plaisir, ce qu'il craignait, car il ne voulait pas s'engouffrer dans la musique comme dans les livres.

En changeant de famille, Daniel s'était beaucoup éloigné du quartier de son père et avait dû aussi changer d'école. Il avait été forcé d'abandonner Alexandre et sa bande, et il se retrouva à nouveau parmi des hordes inconnues d'enfants, à cette différence près que les réseaux entre les gens de l'école étaient beaucoup plus finement tracés; les bandes d'enfants, comme autant de sectes, se faisaient la guerre, signaient des pactes, s'aimaient, se trahissaient, se vendaient, discrètement, par d'habiles tractations, ou publiquement, par des coups de théâtre; elles obéissaient à des règles non écrites, millénaires, que Daniel aurait dû connaître, et, plutôt que de les enfreindre avec l'inévitable candeur du néophyte, il préféra s'en dégager en s'excluant des sociétés de la cour. Daniel visait à l'anonymat; il ne cherchait plus à garder une position de spectateur privilégié comme celle qu'il avait jadis occupée dans son coin de cour; il souhaitait en arriver à ne plus exister aux yeux de ses camarades, qui n'existeraient pas non plus pour lui: autant il voulait que ses camarades ignorent sa présence, autant lui ne devait pas se préoccuper de leur sort. Daniel sentit son isolement total. À l'école et en famille, il ne laissait échapper qu'une part insignifiante de lui-même, derrière laquelle transparaissait tout de même, malgré lui, beaucoup d'amertume.

Dans l'école immense que fréquentait Daniel, tout contribuait à préserver l'anonymat: les corridors succédaient aux corridors, les groupes d'élèves changeaient au gré des cours, la cafétéria s'étendait à perte de vue, si bien qu'on n'y voyait de loin que la foule mouvante des élèves qui s'empiffraient en vitesse de sandwichs, puis se sauvaient afin de laisser leurs places à d'autres élèves. L'école était si grande qu'il était facile d'y passer plusieurs jours sans parler à personne.

La solitude de Daniel était son deuil. Il ne voyait pas la mort comme un événement qu'on doit marquer de noir et célébrer, au contraire d'une fête, avec des tristes mines et des cérémonials austères. Le deuil était une expérience intime de reconstruction de l'autre, conséquence du vide provoqué par la mort. Daniel s'isolait parce que cela lui était nécessaire, même si ses débats intérieurs n'aboutissaient plus depuis longtemps à des réflexions nouvelles, et s'étaient même éteints, en douceur, devenus inutiles (mais Daniel voulait toujours leur laisser dans son esprit le grand espace qui leur convenait), et parce que cet isolement devait être une marque de respect des plus élémentaires pour Lucien, qui ne verrait pas son rôle rempli par le premier venu, au gré des rencontres.

## Le vice de la lecture

Pour supporter sa solitude, Daniel voulut se croire différent. Il forgea vaillamment sa différence; pareil à un artisan austère qui couve son œuvre, il créa de toutes pièces le fossé entre lui et ses camarades, le munit de solides pieux (espérant malgré tout une invasion), et renforça l'indépendance de son esprit à coup de mythes. En comparaison avec le monde imaginaire dans lequel il évoluait, la vie de ses camarades n'était que tristesse et médiocrité. C'est pourquoi, plus que jamais, Daniel fut dévoré par le vice de la lecture.

Daniel lisait, emporté par une urgence, possédé. Il imaginait la Bibliothèque universelle, des millions de livres, autant de morts auxquels il fallait redonner vie, des livres lubriques, qui attendaient impudemment d'être choisis. Daniel était victime de leur charme; il ne voulait en ignorer aucun et, subjugué par leur éternité, qui prenait source dans l'horrible quotidienneté de la création, il se faisait inquisiteur, ramenait les livres vulgaires à leur néant, brûlait les prétentieux, et en mauvais inquisiteur, il doutait, angoissé, insatisfait, car derrière tous ces titres bien visibles se cachaient les autres qu'il ignorait, mille fois plus nombreux peut-être, qui échappaient à ses anathèmes et à son inassouvissable plaisir de lecteur. Alors Daniel lisait encore, sans jamais se lasser; tous les livres se présentaient interminablement alignés, ou pareils à une droite géométrique, la dernière page de l'un s'enchaînant immédiatement avec la première page de l'autre, au point que ces livres, qu'il croyait tous différents, lui donnaient l'impression qu'ils n'en formaient qu'un seul, infini. Daniel continuait à lire, sans cesse, affligé comme Sisyphe ou les Danaïdes, mais à l'inverse de ces pénitents de la légende, il n'avait pas conscience d'un éternel recommencement; il avait plutôt l'impression de grandir, comme si la matérialité du geste — faire défiler des livres devant les yeux — pouvait avoir un rapport avec les progrès de son esprit, ce qui ne faisait pas de doute, mais étonnait Daniel, qui refusait de voir les évidences.

Daniel lisait vite et mal. Son itinéraire de lecture était un chemin sans retour. Un livre lu était un livre su et la liste de ces livres lus était pour lui une collection de trophées qu'il ne pouvait exposer, dont l'énumération seule était le meilleur des étalages, parce qu'il pouvait le présenter partout, sur demande, pour lui-même surtout. Daniel craignait les défaillances de sa mémoire mais, pris entre le risque d'oublier ses lectures et la nécessité de continuer sa quête, il se jetait sans hésitation sur les nouveaux titres, même si ces lectures effaçaient les anciennes, ou déposaient sur elles un peu de poussière. Daniel s'y résignait à contrecœur; il aurait voulu récrire les livres passés, en faire des versions «photographiques» qu'il aurait conservées dans un album. Il savait toutefois qu'en dépit des défaillances de sa mémoire, ces livres, ces histoires, resteraient cachés en lui, et qu'il n'aurait qu'à voir le titre ou le nom d'un auteur associé à une œuvre lue pour sentir avec eux une belle complicité, un sentiment du devoir accompli. Alors, Daniel cherchait encore et toujours les livres nouveaux, non sans une certaine angoisse, sachant la vie trop courte pour l'art et sa mémoire trop fragile, se demandant si tous ses efforts en valaient la peine. Mais, parce qu'il avait accepté cette vie de lecteur, il en acceptait les exigences et se résignait à lire, n'ayant pas le choix, avec les inévitables limites de l'exercice.

Emporté dans cette urgence de vouloir tout lire, Daniel oubliait de comprendre ce qu'il lisait. Les livres défilaient à une telle vitesse devant ses yeux qu'il lui était impossible d'acquérir une sagesse de lecteur expérimenté et le sens profond des œuvres, comme des livres indispensables à jamais inconnus des historiens, se dérobait à lui sans qu'il se doutât que quelque chose ait pu lui échapper. Parce qu'affolé dans sa course, il n'associait pas ses lectures à la réflexion qui aurait dû en découler; dans sa hâte, il oubliait ce que les livres pouvaient lui apprendre. La nécessité de comprendre ce qu'il lisait ne lui venait même pas à l'esprit. Daniel était préoccupé par l'idée de posséder les œuvres, par le simple fait de les avoir lues; d'œuvres complexes et profondes, il ne saisissait au passage que ce que pouvait en retirer un enfant de douze ou quinze ans, une très mince idée parmi l'ensemble. Les véritables et importants messages s'effaçaient derrière le plaisir de lire, s'échappaient de son esprit comme du sable entre les doigts. Il faut dire que l'attitude de Daniel à l'égard des livres n'était pas celle d'un élève docile cherchant à apprendre, mais celle d'un Narcisse en quête de reflets de lui-même. Et les livres, semblables à d'éblouissants jeux de miroirs, lui renvoyaient quantité d'images, des portraits de lui sous tous les angles et dans toutes les situations, dont la qualité était directement proportionnelle, pensait Daniel, à la qualité de l'œuvre. Des œuvres immenses qu'il lisait, Daniel ne comprenait qu'une part infime, celle dans laquelle il se saisissait lui-même, à laquelle il avait participé, préexistant par il ne savait quel prodige dans l'esprit des auteurs.

Daniel, troublé par l'immense quantité des œuvres qui s'offraient à lui, s'adonna exclusivement à la littérature et à la philosophie, et pour éviter tout faux pas, tout errement dans sa quête, ou encore par paresse intellectuelle, il se dirigea naturellement vers les classiques. Daniel ne semblait accorder de l'importance à une œuvre que si elle datait d'au moins cent ans, ou à un auteur moderne que si son nom gardait quelques réminiscences anciennes ou si son œuvre prenait solidement racine dans le passé. En enfant lecteur dupe de la soi-disant universalité des grandes œuvres, il était maintenu hors d'une certaine réalité, de la sensibilité de son époque, isolé, protégé, nourri comme un fœtus; s'inventant des problèmes moraux, de ceux qu'on débattait il y a plus de deux cents ans, il revivait fort mal le passé, parce qu'il était victime de déformations dans sa façon même de penser, dues à ses quelques lectures d'œuvres modernes, à son intégration dans une époque dont il ne pouvait complètement se couper. Il se plongeait dans un passé tellement tronqué, artificiel, qu'il n'en gardait que l'idéal.

## Daniel et les classiques

La première grande œuvre que lut Daniel fut *Don Quichotte*. Daniel se souvient que sur la couverture étaient écrits ces mots: «Texte intégral.» Cela enflamma son imagination. Ainsi, avait-il pensé, pour la première fois il accéderait sans intermédiaire à la véritable pensée d'un écrivain, à une pensée crue, sûrement plus complexe et plus belle. Il considéra cette petite note comme une permission qu'on accorde à un enfant devenu grand, la permission de fumer ou de rentrer tard le soir, petits gestes qu'on peut enfin poser ouvertement et qui sont ceux d'un adulte. Daniel lui aussi eut l'occasion de se croire adulte, grâce à cet «autre» texte auquel il avait accès, celui des «grands», non réduit, libre de criminelles coupures ou transformations. *Don Quichotte* lui donna une excellente occasion de vérifier de quelle nature pouvaient être ces transformations, puisqu'il en avait lu quelques années plus tôt une version raccourcie et illustrée. On y plaçait au cœur de l'ouvrage l'inévitable épisode des moulins à vent, de sorte que, comme tous les non-lecteurs avertis de *Don Quichotte,* Daniel croyait que les aventures de l'ingénieux gentilhomme pouvaient facilement se ramener à cet épisode; or, à la lecture de l'ouvrage, Daniel découvrit que la lutte contre les moulins à vent n'occupait qu'une toute petite partie du roman, un chapitre parmi tant d'autres. Il comprit mal le succès de ce court passage choisi parmi tant d'autres et auquel le roman devait toute sa célébrité. Mais Daniel, infiniment respectueux des mythes, jugea passivement à son tour l'aventure des moulins comme la plus remarquable et, devant les émouvantes histoires (à son avis trop loin de celle de Don Quichotte) des belles femmes de l'auberge, devant l'humour exceptionnel du roman, que Daniel n'appréciera que de nombreuses années plus tard, l'enfant crut bon de ne retenir encore une fois que cet épisode, sa mémoire se confondant inutilement avec la mémoire collective.

Daniel comprit mal le sévère avertissement lancé par Cervantes: Don Quichotte était devenu fou à force de lire; il s'était trouvé incapable de dresser une frontière entre la réalité et le monde fantasque de la chevalerie tel qu'on le décrivait dans les livres. Daniel se croyait à l'abri d'un tel mal parce qu'il ne lisait que des chefs-d'œuvre; ces ouvrages le plongeaient tout de même dans un passé où les abracadabrantes histoires de chevalerie étaient remplacées par d'envoûtantes histoires de cœur, aussi irréelles pour lui que les géants et les enchanteurs pour Don Quichotte. Ainsi, sans rien connaître du monde, il en avait déjà une vision biaisée, apprise, qu'il devrait par la suite confronter à sa propre perception, à moins qu'il ne se fasse dévorer à son tour par ses auteurs bien-aimés. Mais Daniel aurait-il parfaitement compris le message de Cervantes qu'il aurait probablement passé outre: la folie de Don Quichotte correspondait à une réalité qui, sans être *la* réalité, était infiniment plus belle que la médiocrité quotidienne des paysans et des nobles qui tourmentaient le chevalier. La compassion de Daniel se serait tournée vers les bourreaux, de la même manière que le Christ en croix avait compati avec ceux qui l'avaient condamné, puisqu'il aurait entendu dans les discours de Don Quichotte non pas le délire d'un sot, mais la sagesse de celui qui aime accorder un très grand respect à tout ce qui l'entoure, au point de tout élever au rang des histoires inventées, et qui, humblement, s'élève par le fait même.

Après *Don Quichotte,* Daniel se lança courageusement dans *La Comédie humaine.* L'œuvre de Balzac se présenta à ses yeux tel un immense monument. Ne sachant par où commencer, il laissa le hasard guider ses pas, ne respectant aucun ordre de lecture préétabli, ce qui n'eut à ses yeux aucune conséquence néfaste, puisqu'il crut apprécier à leur juste valeur chacun des livres. Il hissa sans hésitation Lucien de Rubempré au sommet des personnages de la *Comédie,* à cause de sa ressemblance avec son père et de tout ce qu'il avait en commun avec lui, le prénom, la blondeur, l'insouciance, le charme, la frivolité, la mort. Daniel eut l'impression que cette mort volontaire et inutile par la pendaison, commune aux deux Lucien, n'était pas l'œuvre d'un hasard; elle était une conséquence de tout ce qui les unissait, de leur manière de défier trop ouvertement leur entourage, ou encore d'une fatalité attachée à leur seul prénom de Lucien. Daniel ne crut plus en la mort volontaire de son père, mais plutôt à une vie se déroulant conformément aux «Écritures», Lucien étant trop proche du personnage décrit par Balzac pour subir un autre sort. À la lecture des *Illusions perdues* et de *Splendeurs et misères des courtisanes,* Daniel alla jusqu'à regretter de ne pas être né avant son père, de n'avoir pas été le père de son père, son Vautrin, afin de le lancer dans le monde, lui-même restant caché et fort discret, et de le guider partout, le plus loin possible, parce que, se considérant comme rusé et sans taches, il aurait pu être un mentor sans failles, toujours présent.

De Victor Hugo, Daniel lut *Les Misérables, Notre-Dame de Paris, L'Homme qui rit* et quelques poèmes de *La Légende des siècles.* Il en retira beaucoup de plaisir, aima les personnages gigantesques décrits par Hugo. Mais plus que Jean Valjean ou Quasimodo, Daniel adula l'auteur lui-même, pas comme il le convenait pour les personnages, à cause d'exploits héroïques qu'il aurait accomplis, mais parce que Victor Hugo en vint à représenter à ses yeux l'écrivain, l'homme de lettres, le seul à pouvoir s'emparer sans restrictions de ces titres. Daniel s'intéressait peu à la vie de Hugo, mais son nom seul, surgi il ne saurait dire à quel moment dans ses souvenirs, évoquait plus que celui d'Homère, de Shakespeare ou de Goethe, ce qu'on nomme le génie. Hugo était un génie; cette plate et assommante vérité avait frappé l'imagination de Daniel, à tel point que le contenu des livres s'effaçait devant le prestige de l'auteur et que le nom de Hugo en valait toutes les pages. Daniel, en esprit rationnel qui aimait nier la démesure, aurait voulu nier l'existence de Hugo. Il était heureux de se voir sans cesse contredit par le nom de l'auteur, qui apparaissait fort visiblement sur la couverture de ses livres, et le fait de savoir que certaines légendes relataient une réalité non transformée le rassurait, lui permettait de s'endormir avec l'étrange satisfaction d'avoir tâté l'irréel. Daniel avait posé une photo de Hugo sur la commode de sa chambre. L'air de patriarche du héros confirmait Daniel dans ses rêves, tellement qu'il ne lui vint jamais à l'esprit de mettre en doute la suprématie de cet écrivain, même si dans son panthéon d'auteurs il fallait beaucoup plus qu'une image et des éloges pour atteindre le sommet.

Ce sommet, Dostoïevski l'atteignit probablement. Pourtant, jamais Daniel ne sembla s'intéresser aussi peu à un auteur, et si l'image de Hugo irradiait, celle de Dostoïevski ne renvoyait à rien, sinon à un bâtisseur de cathédrales, un artisan anonyme, oublié, qui laissait derrière lui une œuvre colossale. Au-delà de ses livres, comme des personnes bien vivantes, lui survivaient deux meurtriers, Raskolnikov et Smerdiakov, assassins en liberté qui avaient tué la représentation terrestre de l'immonde. Accompagnant sans cesse Daniel qui les avait accompagnés dans leurs crimes, ils le marquèrent autant que ces êtres étranges qui réussissent à émouvoir plus en une soirée que d'autres en une vie. Comme Smerdiakov, Daniel se sentait sortir des profondeurs; du statut de domestique à celui d'enfant silencieux, la revendication était la même, une revendication du droit à l'intelligence. Cette filiation de Smerdiakov à Ivan Fiodorovich Karamazov, fondée sur l'idée suspecte voulant que l'intelli-

gence ne doive pas se démontrer mais se faire sentir par
d'affreux sourires complices, faisair voir à Daniel toute l'indécence des êtres trop doués lorsqu'ils restent démunis; Daniel se
sentit menacé de subir le même sort, craignant que la pudeur la
plus élémentaire le force à rester à jamais silencieux, ce qu'il ne
voulait pas, rêvant qu'on viendrait un jour le réclamer, qu'on
ferait appel à lui sans qu'il ait à bouger, qu'on viendrait le
chercher avec solennité, comme le grand maître qu'il rêvait
d'être. Raskolnikov, lui, en était à une étape antérieure à
Smerdiakov: il cherchait à déterminer les limites de sa supériorité. Pour Daniel, la névrose du jeune homme était beaucoup
plus belle que son crime. Ainsi, il imagina à son tour un crime
affreux qui révolterait sa conscience; ce crime, ignoré de ses
semblables, l'entraînerait dans un terrible état de déchéance;
alors, perdu dans les bas-fonds de la misère morale, brûlé en
effigie par sa conscience, miné, abattu, il ne se relèverait que
sachant son crime ignoré, infiniment riche de l'expérience
viscérale d'une horrible misère. Daniel aima la longueur des
romans de Dostoïevski et ses histoires si solidement construites,
qui le forçaient à se coucher très tard la nuit, pendant plusieurs
nuits, et à se lever tôt le matin. Il lut l'essentiel de Dostoïevski
la nuit, délivré de ses résistances diurnes, plus que jamais possédé par l'action.

Il serait onéreux d'énumérer tous les auteurs aimés de
Daniel. Daniel a lu, en bon touriste de la littérature, ceux qui
viennent à l'esprit, d'Homère à Thomas Mann. Sa sensibilité de
lecteur ne réagissant pas également à tous les textes, on pourrait
se risquer à affirmer que les livres et auteurs énumérés plus haut
agirent directement sur son esprit, le marquèrent de leur sceau,
dans la mesure où des livres et des penseurs pouvaient le
marquer: la mythomanie de l'enfant — Daniel déforme le sens
de «mythomanie», lui donne comme définition sa passion
immodérée pour tout genre de mythe, ce qu'on pourrait aussi
dénommer «mythophilie» — sa mythophilie, donc, l'avait
transformé en outre vide qui se remplissait de ce qu'on lui
donnait. Si on ne lui avait présenté que des champions sportifs

ou de médiocres héros de romans-feuilletons, il les aurait aimés tout autant et s'en serait nourri de la même manière. Ajoutons tout de même que, parmi la quantité d'auteurs lus par lui, il serait bon d'en détacher quelques-uns, au moins de les nommer, Platon, Voltaire, Diderot, Tolstoï, Flaubert, Melville, Baudelaire, Emily Brontë, pour être injuste envers certains autres, puisque Daniel leur garde une bonne place dans ses pensées. Ils forment ce qu'il nomme sans modestie sa «parenté», parce que leurs noms seuls ont le pouvoir évocateur de vieux portraits de famille; mais, comme ils sont moins trompeurs que les portraits de famille, leur présence ne ment pas, puisque leurs œuvres reprennent vie à une simple relecture.

Lorsque Daniel lisait, la musique que ses tuteurs écoutaient venait se superposer, en sourdine, aux lectures, au détriment des livres. Lorsque l'action du roman ralentissait ou qu'une explication devenait trop ténébreuse, la musique réussissait à capter toute l'attention de Daniel, même s'il continuait à suivre les lignes et à tourner les pages. Mais si Daniel ne pouvait que très rarement accorder une attention égale à la musique et aux livres, il en résultait très souvent une association, due à la superposition de deux atmosphères — ce qui serait un peu plus que lorsqu'on associe une odeur à un lieu — et une association qui devait beaucoup plus au hasard des rencontres qu'aux intentions des compositeurs: Daniel rapprochait un roman d'une pièce fréquemment entendue au moment de la lecture, ignorant même quel était le prétexte littéraire de tel opéra ou de tel poème symphonique. Les quelques œuvres dont Daniel avait pris connaissance grâce à ses tuteurs ou à certains livres avaient été apprises comme des histoires. Parce que ces récits explicatifs n'étaient pas toujours reliés à une audition de l'œuvre en question, Daniel confondait très souvent livrets et musiques, tout autant que les livres et leur transposition musicale. Cela l'amena à dresser certains parallèles, parfois injustifiables, parfois plus convenables, qui laissaient voir, il le savait, une grande ignorance en musique, et peut-être aussi en littérature; il associa par exemple *L'Idiot* à *Salomé, La Mort d'Ivan Illich* à la *Neuvième*

*Symphonie* de Mahler, *Tristan et Iseult* au *Freischütz*, *Les Hauts de Hurlevent* à *La Damnation de Faust* et *Faust* à *L'Or du Rhin*! Ce qui étonne aujourd'hui Daniel, qui connaît mieux les arguments des grandes œuvres lyriques et symphoniques, c'est de voir que ses impressions premières persistent plus longtemps que les corrections imposées par son nouvel apprentissage. Il en refuse presque d'admettre la valeur de la rencontre entre un compositeur et un poème; il ose situer secrètement ces rencontres sur un pied d'égalité avec les coïncidences qui marquèrent sa vie de lecteur et d'auditeur. (Daniel aime prendre une très grande liberté à l'égard des grandes œuvres; comme il place sa vie au centre de l'univers et qu'il s'imagine que tout s'éteindra avec sa mort, il se donne le droit d'utiliser l'art comme bon lui semble, sachant que ce manque de respect, dont il tire une certaine fierté, ne dérangera personne, que ces manipulations fantasmatiques restent inoffensives et fort communes chez les dilettantes de son espèce.)

Dans presque tous les livres, les personnages principaux, bons ou mauvais, étaient plus âgés que Daniel. Ce détail avait son importance: les personnages projetaient une image possible de son avenir. Les livres enseignaient à Daniel une manière de vivre qui était la négation même de l'ennui (à moins que l'ennui n'y soit montré comme un acte héroïque). Les quelques années d'adolescence qu'il lui restait à vivre devenaient un sursis qu'il comblerait de lectures pour éviter de perdre du temps avant cette période d'exaltation que serait sa vie d'adulte. Daniel deviendrait un Fabrice del Dongo, un Rastignac, un Étienne Lanthier, uniquement parce qu'il *savait,* parce que leurs histoires, aussi familières que sa propre vie, pouvaient être vues comme une série de recettes qu'il saurait appliquer pour réussir à son tour d'une manière remarquable. Daniel aimait se laisser aller à ces pensées, mais s'il ne croyait pas à ses rêves, au contraire de Don Quichotte, il imaginait sa passion de la lecture menacée par la fin de ces rêves. Il ne se voyait tout simplement pas dans la position d'un adulte raté qui contemple dans le sort de héros plus jeunes sa propre dépravation ou qui rumine d'amers regrets avec la seule certitude qu'il est trop tard pour se reprendre. Daniel enfant considérait les histoires dans les livres comme les promesses superbes d'une vie meilleure, promesses qui se transformeraient en affreux mensonges lorsque la vie n'offrirait plus rien; ainsi se forgea-t-il le devoir d'envisager sa vie sous le principe de l'action et de l'expérience, sans trop savoir comment s'y prendre, inquiet de ne pas y parvenir, cruellement conscient que rien ne serait plus atroce qu'un passé désespérément vide.

## Lucien derrière la ville

Pourtant, Daniel sentait déjà la vie lui couler entre les doigts. La distance qu'il avait créée entre lui et ses camarades prenait des proportions alarmantes; même s'il ne songeait pas à rompre ce silence qu'il avait érigé en barrière, il sentait que son attitude s'était fixée inexorablement dans son esprit et dans celui de ses camarades. Il lui semblait de plus en plus difficile de faire évoluer cet état de choses, parce qu'il aurait alors à lutter contre la force de l'habitude, contre une situation maintenant confortable pour tous et qui n'avait pas de raison de changer. Il savait aussi que la différence entre ses camarades et lui dépassait cette simple question d'attitude. En observant ses compagnons, il se rendit compte que son écart face à eux se manifestait par un retard dans son apprentissage à vivre avec les autres, et que ce retard se voyait encore plus sur le plan physique: alors qu'une véritable sève coulait dans le sang de ses camarades, Daniel traînait avec lui une vague odeur de bibliothèque; tandis que ses compagnons, par miracle, se transformaient, Daniel, tari par les livres, restait résolument enfant. À quinze ans, seul non pubère parmi les «grands», il se croyait demeuré, puisqu'il n'existait plus d'équivoque à ses yeux entre l'enfance et l'âge adulte, entre ceux qu'il nommait les «sexués» et les «non-sexués»; sa «non-sexuation», infligée comme un châtiment, un purgatoire, était probablement ce qui prolongeait dramatiquement sa quarantaine vis-à-vis de ses camarades, parce que la radicale différence entre les deux castes les séparait, pensait-il, plus que la race, le sexe, la classe sociale, la religion. Depuis peu, l'école était devenue un merveilleux théâtre peuplé de filles-fleurs au parfum léger; il leur collait si bien à la peau que Daniel croyait qu'il leur venait naturellement. Ces filles flirtaient avec des garçons à la barbe naissante, aux jambes poilues comme celles de guerriers, des garçons si solides et si bêtes que Daniel leur prêtait une force qui était, comparée à la sienne, celle des barbares qui foncèrent sur l'Empire romain décadent. Dans ce théâtre se jouait le drame des passions naissantes, des chasses amoureuses et des valses-hésitations entraînées par un désir flou, indéfinissable, irrésistible. Tout cela restait à l'état sauvage, animal. Daniel voyait dans ce jeu un sérieux et une sincérité dans le moindre geste, proches de son idéal de fiction appliquée à la vie. Et lui, avec sa peau de bébé, avec sa voix de fille aussi inutile que celle d'un castrat qui ne saurait pas chanter, en était le seul spectateur potentiel, parfaitement ignoré du moindre des acteurs. Mais il refusait systématiquement de regarder la scène, car il aurait alors trop souffert, dévoré par l'envie de monter sur les planches, tout en sachant fort bien qu'il en serait incapable, parce qu'il ne connaissait rien au jeu, au théâtre, au désir.

Pour expliquer sa situation, Daniel s'emplissait la tête d'équations. Il avait l'impression que son mal résultait d'un ensemble de données, de faits relatifs à sa vie antérieure qui, mis bout à bout, devaient conduire à une réponse toute simple, comme ces abracadabrants problèmes algébriques dont la réponse est fatalement un ou zéro; il compilait les livres lus, sa vie d'ermite, son corps d'enfant, Sophie, son père, la mort de son père, comme des nombres avec lesquels il aurait été impossible d'effectuer la moindre opération mathématique. Puis, forcément sans succès dans ses calculs, il haussait les épaules, déçu, et prétendait se moquer de lui-même, parce qu'il pensait que cette recherche d'une explication irréfutable à propos de son comportement ne l'intéressait pas autant qu'on pourrait le croire. Il se disait que la seule conscience aiguë d'exister, sans être une explication, lui donnait une solide raison de vivre et que ses soi-disant problèmes ne faisaient que l'effleurer. Il pensait que ses malaises provenaient de diverses fabulations qu'il s'était créées à la suite de la perte de son père, à laquelle il refusait de plus en plus de croire. Il avait hérité d'un traumatisme à la mort de son père, auquel il pouvait attribuer bien des choses. Mais lorsqu'il repensait à cette mort, il hésitait entre les sentiments qu'elle lui inspirait; il passait de la frustration à une inévitable impression de culpabilité, sans s'abandonner toutefois ni à l'une ni à l'autre. L'événement, vieux de trois ans maintenant, avait vu son intensité affective amoindrie par le temps qui s'était écoulé depuis, et si Daniel ne pouvait y penser sans frémir, l'immédiateté nécessaire aux fortes émotions qu'il cherchait parfois à en tirer avait disparu. L'image de Lucien rugissant de son rire d'ogre remplaça peu à peu celle, atroce, de Lucien pendu, et Daniel imaginait son père vaguant quelque part dans le monde, travesti en trafiquant d'armes ou en écrivain errant. Il le voyait aussi vrai qu'on avait vu d'autres Néron, d'autres Napoléon peu après leur mort, ou comme ces Dimitri qui réclamaient le trône à Boris Godounov. Daniel se bâtissait un Lucien qui n'était pas vraiment Lucien, assemblage hétéroclite de souvenirs et de rêves, vague surhomme nietzschéen, d'une indiscutable valeur messianique. Ainsi que certains menteurs, il en vint à croire en ses mensonges. Le vide causé par l'apparente gratuité du geste de Lucien laissait place à la vie, à des spéculations plus que crédibles, fondées sur la logique. Il imaginait mal que Lucien, qui connaissait si bien l'art de vivre, ait pu mourir sans lui avoir laissé un immense héritage de recommandations, celui d'un Polonius infiniment avisé à son Laertes, qui aurait armé son esprit afin qu'il puisse affronter un dehors hostile et agressant, qui se serait apaisé face à la sagesse de Lucien. Daniel était séparé de Lucien par le monde, et ce ne serait qu'en le traversant qu'il pourrait retrouver son père. Lucien devint l'appât qui allait permettre à Daniel de quitter l'univers clos délimité par sa chambre et la bibliothèque, ses livres et ses rêves. L'idée de partir commençait à le tracasser. Daniel voyait confusément dans son départ la possibilité de retrouver son père, ainsi que celle d'apprendre à connaître cette société des humains à laquelle il ne s'était jamais volontairement mêlé, sinon par les limbes de la lecture. Il conféra par la suite une nécessité de plus en plus grande à cette fugue éventuelle. Il imaginait une nouvelle forme de liberté; il crut qu'il aurait dans l'errance un nouveau moyen d'apprentissage, aussi efficace que les livres; il ne voyait que d'agréables et interminables vagabondages au clair de lune — qui lui permettraient tout de même de retrouver son père — et, bercé par ce nouveau rêve, il fixa le moment de son départ à une belle journée de printemps.

# Chapitre 7

## Le grand départ

Le jour du grand départ, Daniel se dirigea tout naturellement vers l'école. Il y passa la journée, bien calmement, comme un soldat qui vaque à ses occupations le matin d'une importante bataille. Il fut ce jour-là particulièrement inattentif et, en contraste avec son apparence extérieure, se déroulait dans son esprit un étrange combat, conséquence d'un désordre que l'enfant ne voulait pas s'avouer. Cette lutte contre lui-même se manifestait par des scènes de bataille qui venaient se greffer aux leçons des professeurs: il crut voir les plus braves héros de ses livres, invincibles escrimeurs, d'Artagnan, Bayard, Cyrano de Bergerac et le chevalier de Saint-Georges, qui tuaient l'un après l'autre d'anonymes mercenaires dans un tourbillon de rage et de sang. Ces personnages, qui avaient réellement vécu, représentaient la frontière floue que Daniel avait toujours voulu voir entre le rêve et la vie, le moment où l'on ne sait plus ce qui est vrai, ce qui semblait avoir une étonnante futilité, celle d'une musique comme on l'aimait au Siècle des lumières. Mais cela ne valait plus en cette journée d'école où Daniel se voyait assailli par des rêves: les armes de ses héros étaient devenues horriblement meurtrières; Daniel regardait ces hommes éclabousser leur propre image de héros parfaits qui, habituellement, éventraient le mal avec tant de délicatesse qu'on ne voyait jamais le sang. À eux se joignirent Perceval et le capitaine Fracasse, et Daniel n'avait plus maintenant devant les yeux que l'image du sang. Il entendait cependant une musique derrière les combats, un gracieux menuet en galante danse macabre, comme si, à l'opposé des scènes brutales que l'enfant imaginait, la musique, heureuse, reflétait ses pensées secrètes et le plaisir qu'il avait à voir la transcendante supériorité de quelques héros, même si ces individus tuaient avec acharnement.

Daniel était parti les mains vides. Il n'avait rien apporté avec lui, à l'exception d'un livre. Sans bagages, sans argent, il allait vers une nouvelle vie sans rien prévoir, comme si son avenir, ainsi que l'avait été son passé, serait assurément dégagé de toute contingence matérielle. Le livre lui servirait d'arme pour se protéger du temps immobile, pour se défendre contre les gens, qui avaient encore un respect absolu pour le lecteur absorbé, et pour se couper de tout ce qu'il pourrait voir, si le spectacle de la rue devenait par hasard insupportable. Il aurait aimé apporter avec lui une version de *La Divine Comédie,* ce gros livre qu'il avait lu quelque temps auparavant, rempli d'enluminures en reproduction, qui lui avait rappelé avec bonheur son exemplaire de *La Légende dorée,* disparu à tout jamais, et dont il s'était tellement délecté à une période particulièrement heureuse de son enfance. Avec sa manie de s'inspirer d'histoires trouvées dans les livres, Daniel s'imagina, comme Dante, mais accompagné d'un succédané de Gavroche aussi à l'aise en enfer que dans les rues de Paris, traverser une ville infernale jusqu'à son père au paradis, trônant radieux à la place de Béatrice et devant Dieu. Les suppliciés de l'enfer qu'il venait de voir le ramenèrent aux victimes qu'embrochaient ses héros-escrimeurs et que, par diverses gymnastiques de l'esprit, il vit par la suite souffrant dans une ville ultramoderne, alors que les supplices inventés par Dante y étaient raffinés, modernisés. *La Divine Comédie* restant introuvable, Daniel avait apporté à la place une version pour enfants de *David Copperfield,* puisque, à son avis, l'univers feutré de Dickens s'offrait en antidote à cet enfer qu'il souhaitait visiter et craignait à la fois. Daniel se demanda si ce choix éminemment rassurant ne pouvait pas être interprété comme un acte de lâcheté, un moyen facile de fuir quand il le voudrait ce monde qu'il souhaitait découvrir. Il resta malgré tout satisfait de ce choix, parce qu'il y voyait une confirmation de sa lâcheté intellectuelle, qui consistait à ne lire que des chefs-d'œuvre anciens. Sa situation de lecteur l'avait maintenu jusqu'alors dans un confort indéniable, et la relation entre l'intelligence du lecteur et les œuvres des grands maîtres se trouvait si étroite et si universellement reconnue que le seul fait d'avoir lu certains livres permettait d'avoir accès à un cénacle de gens en apparence fort érudits et raffinés, cénacle dont les conditions d'admission restaient en réalité bien souples. Cela pouvait bien sûr mener à l'éclosion d'une force intellectuelle véritable, mais très souvent entièrement débitrice des auteurs appréciés: la pensée devenait victime d'une réflexion antérieure qui annihilait une authentique force créatrice. Daniel imaginait fort bien un auteur moderne effectuant un collage d'œuvres célèbres, assuré d'une certaine estime pour avoir garni son travail de noms illustres.

## Le tombeau

Daniel se demanda si sa décision de venir passer la journée calmement à l'école, alors qu'il devait partir à l'aventure, pouvait elle aussi être attribuée à une certaine lâcheté. L'odeur de l'école était ce jour-là presque envoûtante; elle n'agissait pas comme un parfum, mais comme un de ces airs tout à fait neutres respirés en quelque heureux moment de l'existence. Daniel eut encore cette odeur dans les narines lorsque, après la classe, errant dans les rues, il ne sut où aller. L'immensité de la ville, en opposition avec l'objectif dérisoire de sa quête, l'avalait tout entier. Il aurait aimé renoncer à son périple, mais le retour à la maison lui pesait, telle une affreuse humiliation. L'école lui apparaissait alors — littéralement, puisque ses pas l'y guidaient sans cesse, malgré lui —, avec ses murs de forteresse, avec cette odeur tellement familière que Daniel pouvait la sentir même au-delà des murs, et qui l'attirait comme celle d'un second foyer. Parce qu'il était déjà très tard, Daniel résolut d'y passer la nuit.

Il contourna les murs, tapi dans l'ombre, cherchant une brèche, atteignit une fenêtre qui donnait sur le sous-sol. Il en arracha difficilement le grillage — son cœur battait très fort, il agissait en malfaiteur! —, puis il cassa la vitre avec un morceau de ciment. Le son du verre brisé se répercuta à n'en plus finir dans sa tête, mû par deux échos qui s'engendraient l'un dans l'autre, de la même manière que deux miroirs placés face à face reflètent une image à l'infini. Le bruit s'amplifiait, affreux; il atteignit le registre d'une sirène d'alarme qui hurlait horriblement son crime. Puis, Daniel se rendit compte qu'effrayé par son geste, il avait été victime de son imagination: par miracle, aucun système d'alarme n'avait été déclenché et la vitre, tombée sur un plancher encombré dans une petite pièce, s'était brisée presque en silence, le bruit ayant été étouffé dans cette pièce qui manquait d'air. Daniel se glissa par la fenêtre, et, encore étourdi, il se mit à marcher dans les corridors déserts de l'école. Il eut l'impression de se trouver dans un temple abandonné depuis des centaines d'années. L'édifice, habituellement animé, toujours peuplé d'une foule grouillante, était muet comme une ruine, et la vie absente qui laissait ses traces donna à Daniel la curieuse impression qu'il éprouvera plus tard à marcher sur les vieilles pierres de l'Agora d'Athènes ou du Forum de Rome. Peu lui importait combien était ancien l'abandon des lieux; les vestiges et les murs, seuls témoins muets, lui permettaient de reconstruire la vie, d'y replacer des personnages, d'imaginer une foule s'animer, opération qui était la même, selon Daniel, qu'il s'agisse de lieux désertés depuis quelques heures ou depuis plusieurs siècles. Daniel aimera à l'avenir plus que tout les lieux publics abandonnés; il aura l'impression de les posséder à lui seul et, en tant qu'explorateur imaginaire, il se targuera toujours d'une délicieuse illusion de découverte. Le dépeuplement de l'école avait à ses yeux un je-ne-sais-quoi de définitif: sachant qu'il n'y retournerait probablement plus, il aima se faire accroire que l'édifice, désuet, serait oublié puis enseveli, avant de servir de refuge à quelque troupe de brigands dans un monde nouveau en sauvage reconstruction.

Daniel marcha dans une salle immense remplie d'étroits vestiaires qui s'alignaient à perte de vue comme autant de sarcophages et qui servaient aux élèves à déposer leurs objets, livres et manteaux. Il retrouva dans cette salle le silence morbide d'une chambre funèbre, qui n'est pas vraiment un silence, puisqu'il est composé de mille bruits infimes, qui proviennent des morts. Daniel se crut à l'intérieur d'une pyramide. Les vestiaires, disposés en labyrinthe, lui permirent de se perdre, lui qui, de jour, s'y aventurait le moins possible, de se perdre à mort au milieu de ces vestiaires qu'il imaginait entièrement gravés de hiéroglyphes impossibles à déchiffrer, écriture étrange et somptueuse qui ne lui indiquait rien d'autre que le chemin vers la lumière. Ces murs-livres, ces tombes-livres, qu'il croyait voir s'étaler devant ses yeux, jaloux de leurs mystères, faisaient souffrir l'enfant-lecteur de la plus terrible des privations: à imaginer ces textes plusieurs fois millénaires, ces caractères qui recouvraient des murs entiers pour leur donner la beauté d'immenses tapisseries, à voir ces milliers de signes obscurs qu'il avait parfois vus en reproduction dans de vrais livres, Daniel se crut privé d'une volupté de lecture comme il n'en avait jamais connu.

Il fut surpris dans ses rêves par un bruit de pas. Sans prendre le temps de réfléchir, il se réfugia dans un vestiaire, le sien, retrouvé par hasard. Il attendit, enfermé, étouffant, quasiment mort. Ses halètements dans la case métallique trop étroite s'amplifiaient désastreusement, mais ne couvraient pas le martèlement de pas qui marquait une démarche assurée, celle d'un homme qui savait exactement où se cachait Daniel. L'enfant crut à la fin de ses jours. Cette présence, aussi inexplicable que la sienne, dans l'école, la nuit, ne pouvait que le concerner.

À la grande surprise de Daniel, le bruit disparut tout doucement. Personne ne vint révéler sa criminelle présence.

Daniel pouvait suivre à l'oreille la ligne parfaitement droite de ces pas mystérieux dont le martèlement diminuait légèrement en intensité, jusqu'à ce qu'il s'éteigne complètement. Daniel s'attarda à essayer de saisir ce moment imperceptible où le bruit se perd dans le silence.

L'enfant reprit son souffle en sortant du vestiaire. Il comprit que l'homme qui venait de passer n'était que le gardien de l'école, cerbère de ces ruines imaginaires, qui effectuait sa ronde de routine. Il envia cet homme, probablement heureux de mener une vie si calme, et le détesta d'avoir brusquement interrompu ses rêveries égyptiennes, de l'avoir transporté si soudainement des tombes des pharaons à la caverne d'Ali Baba. La grande salle redevint dans l'esprit de Daniel ce labyrinthe de l'école, dans lequel il n'osait jamais s'aventurer hors des sentiers qui menaient à son vestiaire, les mille et une cachettes de cette immense pièce servant habituellement de refuge à la petite pègre adolescente de l'école et à ces gens qui s'adonnaient aux plaisirs interdits, premières caresses ou paradis artificiels, Éden que Daniel s'imaginait effrayant parce que de toute part on lui en interdisait l'accès.

## Les rêves

Daniel choisit de fuir cette salle et de se cacher dans une petite pièce en retrait, particulièrement chaude. Il s'y installa pour la nuit, directement sur le plancher, le plus confortablement possible. Étendu sur le ciment, coincé entre des objets difficilement identifiables, il ne réussit pas à s'endormir. Il décida, pour faire venir le sommeil, de se raconter des histoires ainsi qu'il le faisait, enfant, pour chasser ses peurs. Ses récits l'endormirent, ou plutôt se confondirent avec le sommeil et les rêves, à tel point que Daniel ne saurait dire s'il les avait imaginés en toute lucidité ou s'ils avaient été le résultat de délires nocturnes; leur allure étonnante était celle d'un rêve, mais il garda la solide conviction de les avoir créés en plein état de conscience. Il s'était vu d'abord draveur sur une rivière de larmes. Les billots de bois étaient remplacés par des cercueils ayant la forme des vestiaires de l'école. Puis, par une de ces transitions brusques qui ne s'expliquent que par la logique des rêves, il se retrouva à marcher dans les rues d'une grande ville. Il vit à travers la foule une jeune fille très jolie dont il ne put s'empêcher de souhaiter la mort, par une de ces idées absurdes, incontrôlables et parfaitement involontaires. Au moment même où il eut cette pensée, la jeune fille s'effondra sans vie à ses pieds, comme si elle lui obéissait par miracle. Daniel pleura abondamment et ses larmes le ramenèrent à la rivière qui déborda, alimentée par ses pleurs. Daniel fut emporté par le courant et sut qu'il n'éviterait pas la noyade. Il aperçut, en une ultime vision, le visage de la jeune fille qui flottait, sereine, dans son cercueil ouvert — le seul ouvert parmi une multitude —, un visage de fille morte qui le regardait avec toute la sérénité qu'on aimerait voir dans les yeux des morts. Ces sombres images furent les leitmotive de sa nuit. Elles l'éveillaient, revenaient sans cesse, sans raison. Étrangères à sa propre réalité, tellement loin de ses réelles obsessions, pensait Daniel, elles le tracassèrent comme de fausses préoccupations, imposées à son esprit par une force extérieure, de la même manière qu'il imaginait que le diable, jadis, devait tourmenter les saints. Il aurait aimé appeler à l'aide, crier, mais sa voix s'étranglait dans sa gorge. Se croyant coupable devant Dieu, et même devant le diable, il n'avait pour se défendre que son immense solitude, entièrement assumée, même dans cette nuit noire et dans cette école trop grande.

## Le livre perdu

Le lendemain, Daniel quitta l'école quand les autres élèves y entrèrent et partit pour ce qu'il imaginait être la plus grande aventure de sa vie. Pourtant, aujourd'hui, lorsqu'il scrute minutieusement cette étrange journée, il en a honte, s'en moque parfois, la ressasse. Il ose la considérer comme la clé d'une petite porte qui ouvre sur son monde intérieur actuel, conscient qu'il y frôla plus que jamais une certaine folie dont il aime s'enorgueillir en secret. Lorsqu'il y repense, il n'y voit pas la succession d'événements dramatiques propres à certaines narrations romanesques qu'il avait tant aimées, et dont tellement de gens réussissent à assaisonner leur propre vie — ainsi, pour certaines personnes, une simple course à l'épicerie peut se transformer en une série de naïves et courtes péripéties qui se succèdent sans emphase, à une moindre échelle, mais de la même manière que celles qui troublaient les courses d'un mousquetaire de Dumas. À Daniel mythophile échappait le sens de l'aventure, et ces événements mouvementés qu'il rêvait de voir présents dans sa propre vie n'existaient pas, ou se dissimulaient, ou étaient gobés, ou encore remplacés par une série de vagues impressions, collection de perceptions subjectives ou de réflexions sur un thème imposé par le cours des événements ou le hasard des rencontres. Cette courte journée de voyage vers l'inconnu, qu'il ne saurait qualifier d'essentiellement importante, échappe à la description strictement linéaire qu'il aurait aimé en esquisser. L'absence de «véritables événements», ce vide imprévu en cette journée pivot, rendrait difficile, même par écrit, le compte rendu exact de ses actions et pensées. Une succession de réflexions dans un ordre vaguement chronologique serait, selon Daniel, la façon la plus sensible de se replonger dans son histoire: il imagine une rapide et vulgaire encyclopédie de ses états d'âme, l'ordre alphabétique remplacé par l'ordre approximatif de ses pensées, avec un sujet donnant le titre à l'article. Daniel croit que les limites de son esprit le forcent à voir sa vie comme une partie d'échecs plutôt que comme une mer sous le vent. Il croit aussi que son intelligence, concentrée sur elle-même, se posant sur la masse des sentiments qui le troublèrent alors, peut rétablir certaines nuances. Et c'est ce qu'il voudrait réaliser lorsqu'il se rappelle cette journée, rétablir un certain ordre dans ses pensées pour en saisir enfin clairement la confusion.

Daniel fut profondément désolé quand il se rendit compte qu'il avait oublié son *David Copperfield* à l'école. Il eut l'impression d'être dépouillé, quasiment nu, puisqu'il avait toujours eu des livres près de lui, de même qu'il avait toujours porté des vêtements sur son corps. Mais les livres l'avaient marqué pour la vie et, même en leur absence, il continuait à percevoir les choses à travers eux: ainsi, ce qu'il avait pu en comprendre venait se superposer pêle-mêle à ce qu'il voyait; les livres nommaient les réalités de Daniel, nommaient ses états d'âme. Ils auraient à la rigueur entièrement soumis sa pensée si les idées transmises à travers eux, trop complexes pour un enfant, n'avaient pas été déformées, adaptées, mutilées, torturées, de sorte que, méconnaissables, elles devenaient des créations, un peu comme un restaurateur inexpérimenté, ignorant tout des œuvres sur lesquelles il travaille, en crée de nouvelles, affadies, sans charme, criminelles, mais d'une touchante naïveté.

## La faim

La faim guida l'errance de Daniel comme un fil d'Ariane. Son ventre criait depuis la veille, alors qu'il n'avait pas mangé du tout, et se manifestait encore plus bruyamment en cette deuxième journée de fugue. La faim le rapprochait de l'animal en quête désespérée de nourriture. Les préoccupations alimentaires prirent dans son esprit une place immense. Daniel errait de restaurant en épicerie; il regardait attentivement, de loin, la nourriture alléchante qui s'étalait voluptueusement sur les étagères ou dans les assiettes de clients bouffis, mais il n'osait entrer et gardait la distance d'un chien sauvage, errant et affamé. À mesure que l'heure avançait, la faim se faisait paradoxalement de moins en moins pressante. Daniel se plut alors à son jeûne et se vit partageant dérisoirement et solidairement le sort d'une moitié de l'humanité, ou en descendant moderne des ermites qui jeûnaient autrefois dans les déserts; il n'avait pas, comme eux, à avaler d'horribles sauterelles, des serpents ou

d'affreux herbages; il devait par contre résister à la tentation
plus terrible encore d'une profusion alimentaire, ce qui rendait
sa situation comparable à celle du Christ pénitent séduit par le
Malin, ou à celle de saint Antoine en proie à ses voluptueuses
hallucinations. À saint Antoine il s'associa particulièrement, en
comparant ce qu'il ferait dans un magasin d'alimentation désert
avec les orgies gastronomiques qui tracassaient Antoine. Peu à
peu, il se rendit compte que ce qui l'unissait au saint était beaucoup plus que cet humble sacrifice de la bonne chère: les visions
de l'anachorète étaient bel et bien celles d'un incurable libertin.
Daniel imaginait Antoine mille cinq cents ans plus tard, menant
une vie scandaleuse et triomphante, inassouvissable libertin qui
s'adonnerait corps et âme aux plaisirs les plus raffinés. Le cruel
hasard des naissances l'avait pourtant fait vivre chrétien en cette
époque austère des premiers jours de la chrétienté, alors que
cette noble et pure passion des âmes délicates pour la plus dévo-
rante des luxures le rendait coupable et passible d'enfer. La
véritable sainteté d'Antoine était d'avoir enduré toute une vie
son déracinement et d'avoir respiré l'air d'une époque qui niait
ce qu'il y avait de plus riche et de plus vivant en lui. Antoine se
vengea glorieusement dans sa légende, imposant à la postérité
ses visions lubriques beaucoup plus que ses soi-disant actes
d'élu. Daniel, enfant fragile d'un autre siècle, faisait lui aussi
partie de ces isolés, de ces déracinés de leur temps, mais, loin
du libertin ou de l'ermite, il se voyait en moine protégé et soumis dans un monastère, se dévouant jusqu'à la mort au noble
culte des livres. Il fit d'Antoine dans le désert son saint patron,
rempli d'une profane admiration pour ses souffrances et ses
jeûnes inutiles. Quant à lui, il ne pensait plus à la faim que pério-
diquement, dans les temps morts de la réflexion.

## L'errance

La ville s'ouvrit devant Daniel comme un éventail. Si les
chemins qu'il prit d'abord le ramenaient toujours au même

point, ils se déployèrent ensuite de façon à lui offrir sans cesse de nouvelles combinaisons (un chemin se divisait en deux, puis la rue choisie offrait deux ou trois autres nouvelles voies, et ainsi de suite). Daniel marchait vite et dans une même direction, comme s'il savait où il allait, entraîné par le mouvement de la foule, mais aussi pour les mêmes raisons que, lorsqu'il lisait un livre, il ne finissait pas certaines phrases; pressé de tout découvrir, il pensait qu'à parcourir le plus grand nombre de pages, ou le plus de distance possible, il parviendrait à satisfaire partiellement sa curiosité. Daniel avançait la bouche ouverte et l'air hagard, parmi des édifices imposants, des rues bruyantes, des véhicules rugissants, parmi une clameur perpétuelle, assourdissante et des gens à la course qui le bousculaient sans cesse. Au tournant d'une rue, à l'improviste, apparaissait parfois un monument, un de ces monuments célèbres qu'il connaissait bien pour les avoir vus en photo dans des livres. Daniel se disait que ces monuments, solides, calmes, immobiles au milieu de la ville en état de furie, formaient un obstacle anachronique et insignifiant à la fébrilité ambiante. Ils créaient une indispensable continuité entre le passé, le présent et l'avenir, mais surtout, puisque Daniel les voyait en tous points semblables à ce qu'il avait imaginé, ils faisaient le lien entre le connu et l'inconnu; ils empêchaient ce trop fort dépaysement que l'enfant n'aurait pas pu supporter. Comme les plantes, ils aéraient la ville, suivaient le cours du soleil, et Daniel avait l'assurance qu'ils étaient bel et bien dotés de vie. Peu à peu, la faim atténua la marche de Daniel, la ralentit. L'enfant, étourdi de découvertes, ne fit pas le lien entre son estomac vide et ses forces qui déclinaient. Il avançait, pareil à ces aviateurs légendaires qui marchèrent plusieurs jours dans le désert, épuisés, affamés, sous un soleil ardent, avec un vague espoir de survie, et qui imaginaient des villes et des oasis derrière l'inaltérable ligne d'horizon; avec la même obstination, avec la même absurde espérance, Daniel s'attendait à voir son père apparaître derrière les centaines de visages qu'il croisait sans cesse. S'il ne vit pas Lucien, il crut rencontrer son esprit, l'âme errante de son père, puisqu'il accomplissait le même vagabondage anonyme, le même voyage vers la vérité qu'avait dû effectuer Lucien pendant les deux jours où il avait disparu, tout juste avant sa mort. Comme son père, il mettait sur les plateaux de la balance ses raisons de vivre et de mourir, d'après ce qu'il voyait, ce qu'il pouvait apprendre du monde en mouvement qui défilait devant lui. Pourtant, la quête de Daniel était faussée à la base: il n'agissait pas ainsi par un élan sincère ou par conviction profonde, mais par mimétisme, assuré de retrouver son père en agissant de la même manière que lui. Comme l'aviateur, Daniel avait l'impression de marcher dans un désert, parce que rien ni personne dans son entourage ne semblait subvenir à ses besoins les plus élémentaires, ne l'alimentait, ne tenait compte de lui. Son intense isolement se rapprochait sans aucun doute, croyait-il, de la solitude des grands espaces; il le ramenait à son saint patron, l'anachorète Antoine, à qui il aurait voulu ériger une immense statue dans un grand parc vide. Saint Antoine aurait son monument, magnifique, qui rejoindrait les autres dans leur confrérie et, comme les autres, solide et respectable, il protégerait de son mieux Daniel rassuré dans sa quête.

## Les gens

Les gens défilaient à une telle vitesse et en si grand nombre que, en ouvrant et en fermant les yeux assez rapidement, Daniel se donnait une vision stroboscopique: il voyait alors à chaque fois apparaître un visage différent, un de ces visages qu'on ne remarque pas, semblables à ces figures bien esquissées, toutes différentes, dans certaines toiles de la Renaissance italienne qui montrent des foules. Daniel imaginait tous ces gens s'entassant comme les damnés et les élus d'un Jugement dernier. La douleur et la béatitude étaient remplacées par le masque d'une parfaite indifférence, ce qui les préparait plutôt, imaginait Daniel, à entrer dans une vie éternelle proche de celle des enfers grecs, pour Daniel idéale, puisqu'il avait conclu depuis longtemps que l'attitude la plus saine face à un mystère aussi englobant que l'éternité était la totale absence d'émotions, que devaient d'ailleurs éprouver en toutes choses cette multitude en marche, ces gens qui, pour circuler avec autant d'aisance, avaient dû exclure de leur vie bien des mystères. Les saints étaient présents dans la rue autant que sur les tableaux du Jugement dernier, sur celui de Fra Angelico par exemple, et se signalaient de la même façon, par une auréole autour de la tête, et par une curieuse manière de donner l'illusion de flotter; ces nouveaux saints étaient les gens d'une grande beauté, très rares, et qui brillaient à travers la foule. Daniel, fasciné, aurait voulu les regarder en face, longtemps, ainsi qu'on regarde une toile dans un musée, mais, sachant que la beauté doit rester l'apanage des gens beaux, il baissait les yeux, gardait envers eux la distance qu'observe un pauvre qui habite un bidonville à l'égard des villas des millionnaires. Plus d'une fois il crut apercevoir Lucien qui marchait insouciamment parmi la foule. Alors il se précipitait, ou, au contraire, il restait immobile, le cœur battant, ne pouvant prévoir comment il réagirait. Au moment où Lucien approchait, il avait l'impression de le voir transformé brusquement en homme de la rue, en un simple passant sans identité et qui n'avait plus rien à voir avec Lucien. Ces apparitions troublaient Daniel, qui se croyait victime de maléfices, persécuté par les mêmes enchanteurs qui s'acharnèrent contre Don Quichotte. Parmi les gens, en catégorie à part, Daniel classait les couples. Il les méprisa et les envia à la fois; il dédaignait leur bonheur trop facile, qui les rendait, croyait-il, aveugles aux divers drames de la vie. Il était fier de sa propre lucidité, qui le faisait tellement souffrir, et se savait plus proche du destin du Héros, qui est de vivre une incommensurable solitude. Il s'attristait de dépit à regarder les couples, à voir deux corps s'entortiller pour n'en former qu'un seul, beaucoup plus beau, pensait-il, que celui de l'androgyne de Platon, puisque la fausse union de leurs chairs offrait quantité de poses à prendre, dont certaines très gracieuses, comme le baiser, la plus belle et la plus absurde: la bouche dans la bouche, chacun buvant, mangeant, respirant dans l'autre, de manière à rendre le couple plus qu'androgyne, autarcique.

## La nuit

La ville s'assombrit si lentement que Daniel s'en aperçut à peine. Les lumières artificielles remplacèrent le soleil qui déclinait. Elles ne laissèrent que le ciel très sombre, d'un noir parfaitement lisse, très beau au-dessus des lumières et de la poussière, un ciel que Daniel aurait aimé voir lorsqu'il fermait les yeux. La foule diurne, grise et morne, laissa place à une autre foule, beaucoup plus faune que foule, formée de gens qui marchaient sous les lampadaires comme sous le feu de projecteurs. Daniel, très faible, au lieu d'abandonner sa marche, de chercher à s'endormir, crut avoir un regain d'énergie. Trop heureux de son errance, un peu comme les amoureux contents de leurs amours osent croire le temps suspendu, il fut violemment emporté par la faune nouvelle, vive comme de fraîches troupes à la fin d'une longue bataille, et qui lui promettait ces aventures merveilleuses dont il rêvait depuis longtemps. Daniel suivait la lumière, la voyait avec ses yeux et la sentait avec son corps par la chaleur qu'elle dégageait. Il était guidé par elle; il évitait les rues aussi noires et froides que la fin de l'automne, préférant les nuits d'été sur les grands boulevards aux néons brillants, qui le menèrent sans qu'il le sache dans les quartiers les plus sordides de la ville, rendez-vous de clochards, prostituées, voyous, souteneurs, mafiosi, travestis, de ces gens qui cherchaient comme lui la lumière, pour montrer que leurs crimes ne leur donnaient pas mauvaise conscience, ou pour rendre ces crimes plus alléchants aux yeux des bien-pensants. Daniel s'y établit pour la nuit. L'état d'abandon dans lequel il se complaisait lui donnait la sensation de fraterniser avec ces gens qui auraient pourtant dû lui faire peur ou lui répugner. Il associait leur débauche à celle de son corps sale et mal nourri, et voyait en eux les seules personnes à qui il puisse s'identifier.

Daniel en était aux derniers jours de son enfance, mais de l'enfant il gardait encore tous les traits: il était resté petit, avec une voix frêle, avec l'allure mi-fille mi-garçon des grands enfants et un visage doux, parfaitement lisse. Il s'opposait aux gens qui l'entouraient, mûris trop tôt, aux antipodes de l'enfance, et qui rejoignaient tout de même les enfants parce qu'ils croyaient eux aussi aveuglément à leurs jeux. Il contrastait si fort avec eux qu'on préféra l'ignorer: un enfant parmi eux, un véritable enfant qui ne connaissait rien de leur monde, de l'escroquerie, du marchandage, des combats de rue, de la vénalité et de la sexualité brute, était aussi improbable à leurs yeux que les satellites de Jupiter pour les contemporains de Galilée. Daniel sentait ses forces l'abandonner: sa vue diminuait, l'empêchait de saisir les contours, au point qu'il distinguait avec peine les hommes des femmes. Les lumières, celles qui bougeaient, celles des automobiles, s'entouraient d'un étrange halo et leur mouvement régulier avait un effet hypnotique qui rendait Daniel hagard, le forçait à s'asseoir par terre au milieu des clochards, des prostituées qui faisaient leur ronde; le bruit de leurs talons martelant le trottoir, combiné aux lumières en mouvement, l'entraînait dans une béatitude interrompue sans cesse par des cris stridents et des coups de klaxon. Ce qu'il voyait devant lui s'embrouillait ou basculait: les formes glissaient les unes sur les autres. Cela était pour lui un nouveau type d'hallucinations, très simples parce qu'elles n'étaient qu'une déformation immédiate de la réalité, non plus une vigoureuse transformation du monde par les rêves. Il se sentait alors tellement faible que, incapable d'imaginer quoi que ce soit, il devait se limiter à essayer de comprendre ses perceptions immédiates, exercice déjà difficile, puisqu'il avait l'impression de laisser aller son corps à la dérive, de vivre sans vivre vraiment, comme s'il habitait son corps de loin, de très loin...

## La peur

Lorsque, très tard dans la nuit, les rues commencèrent à se vider, Daniel admit pour la première fois qu'on pouvait lui en vouloir à mort. Il se rendit compte à quel point la vie était fragile; il sentit alors la peur, l'atroce peur, la hideuse peur se glisser en lui. Éprouvant enfin la plus affreuse des souffrances, il chercha en vain un gîte d'où il puisse voir sans être vu.

## Lucien

À la fin de la nuit, alors qu'il cherchait encore et qu'il entendait dans sa tête les trompettes du Jugement dernier dans le *Requiem* de Berlioz, Daniel retrouva Lucien. Mais un Lucien déchu, brisé, puant, sale, méconnaissable. Un Lucien majestueux pour être allé jusqu'au bout de sa déchéance, un Lucien qui trônait sur la saleté de la ville comme tous les clochards, et roi, puisque chacun est libre d'imaginer les clochards monarques déchus ou riches héritiers. Lucien était mort, encore une fois, cadavre fumant, enlaidi par les excès de sa vie, fraîchement mort, mort pour une troisième fois le matin du troisième jour, tandis que le tiers de la ville s'inondait des timides feux du matin, que le tiers des hommes, assoupis, las et fourbus, refusaient de mourir.

Le matin, on retrouva Daniel endormi sur le corps d'un mendiant décédé pendant la nuit.

# Table

CHAPITRE 3

CHAPITRE 4

DEUXIÈME PARTIE: LA MORT DU PÈRE

CHAPITRE 5

CHAPITRE 6

*Cet ouvrage composé en Times corps 12*
*a été achevé d'imprimer*
*le dix-sept septembre mil neuf cent quatre-vingt-douze*
*pour le compte des*
*Éditions de l'Hexagone.*

*Imprimé au Québec (Canada)*